D1501428

permites, a tener la actitud del hijo menor, es decir, te invitará a hacer un esfuerzo personal para regresar a la casa del Padre y volver a la normalidad de la vida teniendo contigo siempre la bendición de Dios, la intercesión de san Judas Tadeo y tu esfuerzo personal.

Guillermo Gándara E., SSP

PRIMERA PARTE

VIDA Y TESTIMONIO DE SAN JUDAS TADEO

DEVOCIÓN Y VIDA CRISTIANA

El devoto de San Judas Tadeo primero ama a Dios y a sus hermanos, sigue puntualmente la Palabra de Dios con una vida cristiana teniendo encuentros positivos con Jesucristo en una comunidad eclesial y poniendo todo lo que está de su parte para salir del momento difícil.

El objetivo de este libro es lograr que tú, a ejemplo de san Judas Tadeo y por su intercesión, trabajes arduamente para alcanzar la vivencia y comunicación grande con Cristo hasta lograr en tu vida su imagen, tal como lo hizo san Judas Tadeo y alcanzar así, por su intercesión, las gracias y favores que necesites, sobre todo pedir que te acompañe para que con tu esfuerzo encuentres el camino adecuado en los momentos más difíciles y desesperados que te presenta la vida. Mereces una felicitación por enfrentar la vida con Dios y desde Dios, y solicitando siempre la intercesión de san Judas Tadeo.

La devoción a san Judas Tadeo no es una oración o una filosofía, mucho menos unas letanías que repites sólo cuando el agua de la vida te está ahogando, un culto vacío o una varita mágica; es un estilo de vida cristiana de testimonio y esfuerzo, expresión de tu amor a Dios, a Jesucristo, a tu vida, siguiendo la espiritualidad de san Judas Tadeo, así como otros católicos siguen a san Pablo, san Francisco, santo Domingo, santa Rita, pero siempre el centro de la vida, para todos, es Jesucristo que encuentras en el Evangelio, en la Misa, en los sacramentos, en tus hermanos.

La vida tiene sus momentos difíciles, siempre los hay y los habrá pero busca solucionarlos con esa maravillosa creatividad que Dios te dio; y recuerda siempre con Dios y desde Dios. Conoce a su hijo Jesucristo, ámalo e invócalo y pídele a Dios Padre, por intercesión de san Judas Tadeo, no sólo la solución a tus problemas, sino actuar evitando buscar varitas mágicas en san Judas Tadeo. Por intercesión de Tadeo lograrás de Dios el 51% de las respuestas, pero el 49% depende de ti. No seas de los cristianos que quieren que Dios realice el 100% en la solución de sus problemas.

Al acercarte al apóstol san Judas Tadeo, a su vida, acepta sus propuestas, son las mismas que él escuchaba de Jesús y están registradas en el Evangelio. Es necesario tener un punto de referencia seguro y ese punto, esa propuesta, es y será siempre Jesucristo.

Al reflexionar la vida de san Judas Tadeo por 15 días, poco a poco te irás transformando en un discípulo de Jesús para amarlo y vivir sus enseñanzas; deseo que Cristo te dé las orientaciones necesarias para la vida y que tú las pongas en práctica, así evitarás, dentro de lo posible, llegar a situaciones desesperadas y difíciles. Pero bien lo sabes, no todo depende de ti para llegar a la oscuridad y el estrés desesperante, depende de terceros, entonces estás llamado a trabajar en la educación de esos terceros haciéndolos partícipes con tu testimonio.

De san Judas recibirás su ejemplo y su intercesión. De Dios recibirás su bendición y su gracia. A él le interesa que tú sigas a Jesucristo, que seas feliz y nunca olvides que también cuentas con el amor maravilloso e incondicional de la Virgen de Guadalupe, sin olvidar que a ti te toca esforzarte y presentar a Dios en la oración tus peticiones.

Ve, pues, al encuentro del primo de Jesús, goza su vida, escucha las mismas palabras que él escuchó y sigue el camino que siguió fascinado por Cristo y esfuérzate por encontrar el camino de la felicidad.

Con frecuencia la desesperación, el estrés o la oscuridad intentarán desviarte del buen camino de tu vida, es el momento de manifestar ante los problemas personales, familiares y sociales que tienes un cimiento firme: Cristo, y una fuerte fuerza de voluntad, entonces nada ni nadie te hará fracasar.

En este libro sobre la vida de san Judas Tadeo tienes el quincenario en honor del apóstol. Reflexiona con fe, ora, pide y junto con Dios y san Judas Tadeo, encuentra el camino y la solución a los problemas difíciles que te desesperan mediante un maravilloso crecimiento cristiano.

San Judas Tadeo fue fiel a Cristo hasta la muerte. Tu fidelidad a Cristo es otro de los principios que debes colocar en tu mente y corazón y hacerlos vida.

LES DOY UNA GRAN NOTICIA: HA NACIDO EL SALVADOR

—Vengo preocupada del mercado —comentó Cleofás en casa al encontrarse con su marido.

—Calma mujer, sea lo que sea, ningún comentario en el mercado debe preocuparte tanto. A nuestro pueblo lo protege Yahvé, que hizo el cielo y la tierra; Él nos sacó de Egipto, de la esclavitud y con mano poderosa nos dio esta tierra que mana leche y miel, así que tranquila. Pero, habla, ¿qué escuchaste en el mercado que tanto te preocupa?

—Vieron llegar a Jerusalén a unos personajes al parecer importantes porque entraron en el palacio de Herodes y pronto se supo que venían a buscar al Mesías, al rey y salvador de nuestro pueblo. Se comenta que Herodes se preocupó tanto que mandó investigar el asunto con nuestros sabios y doctores de la Ley y a los visitantes les encargó que le informaran sobre el nacimiento del tal rey de los judíos para ir a adorarlo.

—Calma mujer, está escrito en los profetas que cuando llegue el salvador todos lo sabremos. Recuerda las profecías sobre el Mesías.

Pasaron los años desde aquellos acontecimientos de los personajes importantes que llegaron al palacio de Herodes preguntando por el recién nacido rey de los judíos; sin embargo, la espera del Salvador estaba viva y todos los días se preguntaban cuándo llegaría.

La vida transcurría con normalidad, los niños aprendían la Ley y los profetas, el canto de los salmos. A la edad de 12 años los niños podían leer a los profetas en la sinagoga. Israel seguía puntualmente las enseñanzas de los profetas y la Ley de Moisés.

Un día el alboroto en el templo fue mayúsculo y por supuesto también en el mercado de Jerusalén, así que el comentario volvió a la casa de Cleofás.

—Jesús, el hijo de mi prima María la de José, está predicando y hace prodigios, proclama una doctrina diferente a la de nuestras autoridades, unos dicen que ya es el Mesías; otros que es algún nuevo profeta. Yo creo que Jesús no está bien de la cabeza, ¿se habrá vuelto loco?

—Cleofás, no llegues a conclusiones precipitadas, ¿cuáles son las palabras que te impresionaron de tu sobrino?

—Dijo con voz segura y fuerte, "he sido enviado a curar a los enfermos, a dar la vista a los ciegos, a expulsar a los demonios, a anunciarles la buena nueva". Además tiene ya seguidores, ¿te acuerdas de Cefas y su hermano Andrés los de Juan, y Santiago y Juan, los hijos de Zebedeo? Han dejado a su padre, lo han dejado todo por seguirlo fascinados por sus palabras, estaban con él, los vi con mis propios ojos. Su forma de mirar y hablar de Jesús es convincente. Creo que, con todo respeto de la familia, nadie me quitará de la cabeza que está loco y más locos son quienes lo dejan todo para seguirlo.

—Ah, otra vez un predicador que engaña —comentó el marido— y es nuestro sobrino. No olvides a Judas y

Teudas, ¡con cuanta facilidad se engaña a los ignorantes! —exclamó—. Pero gracias a Yahvé la mentira siempre será mentira y todo terminará y regresará con María y José si no es que lo matan antes.

Mientras tanto, las cosas se iban consolidando, Andrés le anunció a Bartolomé que había encontrado al maestro, al anunciado por Moisés y los profetas.

Uno de los dos que habían oído a Juan y habían seguido a Jesús era Andrés el hermano de Simón Pedro. Andrés se encontró primero con su hermano Simón y le dijo:

—Hemos encontrado al Mesías —y lo condujo a Jesús.

Jesús lo miró y dijo: —Tú eres Simón, hijo de Juan; te llamarás Cefas —que significa Pedro.

Al día siguiente, Jesús decidió ir para Galilea, encontró a Felipe y le dijo: —Sígueme.

Felipe era de Betsaida, ciudad de Andrés y Pedro. Felipe encontró a Natanael y le dijo:

—Hemos encontrado al que describen Moisés en la Ley y los profetas: Jesús, hijo de José, el de Nazaret.

La confusión estaba fuerte en el pueblo, sabían que el nuevo predicador hablaba como quien tiene autoridad y no como los escribas y, no obstante el rechazo de las autoridades, el pueblo seguía con mucha atención paso a paso cada movimiento del predicador itinerante que iba de aldea en aldea anunciando la buena nueva.

Algunas autoridades lo perseguían, pero en el fondo les gustaba escucharlo, le hacían preguntas capciosas y al parecer les gustaba contradecirlo. Siempre estaban presentes no obstante las continuas humillaciones que sufrían.

Con frecuencia los fariseos, gente fiel a la Ley de Moisés y a la tradición de los mayores, eran enviados por los sumos sacerdotes para ponerle trampas al Nazareno; otros, fascinados por el nuevo predicador, poco a poco abrían su corazón y se adherían al grupo de sus seguidores haciéndose discípulos.

Algunos se hacían presentes para ver si los convencía seguirlo; algunos se retiraban, decían que sus palabras eran difíciles de aceptar. No eran ellos quienes seguían con toda libertad al maestro: era el mismo Jesús quien decidía quién lo seguía y quién no.

Cuando alguien pedía entrar al grupo, Jesús le hablaba con claridad, "mira que las zorras tienen madrigueras, los pájaros sus nidos, el Hijo del hombre no tiene dónde reclinar su cabeza".

Muchos aceptaban el reto; otros se desilusionaban ante el desafío de dejarlo todo, pues la búsqueda de poder y prestigio siempre es muy fuerte en el hombre. A otros que pedían seguirlo les respondía que no lo hicieran, que regresaran a su casa a contarle a su familia lo maravilloso que fue Dios con ellos. Pero quien aceptaba el llamado debía comprometerse sin condiciones y Jesús les decía que tenían asegurada la vida eterna.

UN MAESTRO QUE FASCINA Y ES SIGNO DE CONTRADICCIÓN

Pero la pregunta que nos hemos de hacer, ¿qué secreto encerraba este Maestro que fascinó no sólo a Cefas, a Judas Tadeo y a Juan, sino a muchos otros también hoy? El secreto está en el amor apasionado por la misión que el Padre le había encomendado, anunciar su reino de amor, paz, justicia, gracia y felicidad tan necesario ayer, hoy y mañana. El encuentro sencillo con Jesús transformaba a cada persona y a algunos de ellos los invitaba a seguirlo dejando casa, padre y madre. Les fascinaba escucharlo y se preguntaban, ¿qué doctrina es esta que hasta los vientos le obedecen?

Con frecuencia sentían envidia de los discípulos de Juan que les enseñaba a orar. Entonces les dijo, miren cuando oren digan, "Padre nuestro, que estás en el cielo, santificado sea tu nombre...".

Les daba principios de oración: "cuando oren no digan tantas palabras —les decía—, cuando oren no sean como los hipócritas que piensan que a más palabras mejor serán escuchados por Dios. Tú entra a tu cuarto y tu padre que ve en lo secreto te escuchará".

El Maestro los dejaba fascinados cuando les tapaba la boca a sus enemigos quienes sólo lo buscaban o por interés o para criticarlo. Era todo un suceso en Galilea para quien creía en él o una amenaza para quien no estaba dispuesto a aceptar su propuesta de amor y conversión. Era una propuesta nueva que fascinaba.

Mas quedaban confundidos cuando uno que intentaba seguirlo le preguntó cuántos mandamientos nos vas a pedir para seguirte, porque los maestros de la Ley mosaica nos piden rigurosamente 613 mandamientos que tenemos que cumplir puntualmente. Jesús les pide un solo mandamiento: "ama a Dios y ama a tu hermano como tú te amas".

Muchos no alcanzaban a comprender que la esencia de la nueva doctrina de Jesús está en el amor al prójimo, hecho a imagen y semejanza de Dios, no comprendían que si maltrataban a sus hermanos era a Dios a quien maltrataban. Un día les dijo que si hacían el mal a uno de sus hermanos, por más pequeño e insignificante que fuera ante la sociedad, que era a él a quien ofendían.

La incredulidad de sus paisanos sobre Jesús era tal que se preguntaban de dónde había sacado éste tanta sabiduría si era el hijo del carpintero y sus hermanos vivían entre ellos.

El programa que había anunciado Isaías sobre el Mesías se cumplía puntualmente en la persona de Jesús: los cojos andan, los ciegos ven, se da la libertad a los oprimidos y a los pobres se les anuncia la buena nueva.

Para bien o para mal el galileo era tema en las conversaciones familiares y no sólo en los hogares se hablaba de él, sino en los ambientes religiosos y políticos; era causa de preocupación y hasta de división. El pueblo se transformó con la presencia del Mesías. Se iniciaba el parteaguas que perdurará hasta nuestros días. La vida social y religiosa tomaría otro rumbo con la encarnación del Hijo de Dios entre nosotros. Muchas personas posiblemente no sospechaban que estaban frente a un cambio total de vida y mentalidad que los llevaría tan lejos hasta dejar familia, trabajo, amigos por salir a anunciar la buena noticia de Jesús, como era el caso de Judas Tadeo y los demás apóstoles y discípulos de Jesús o los que hoy en día aceptan el llamado para ser discípulos consagrados o sacerdotes.

El Maestro seguía llamando a otros a su grupo, no sólo contaba con los apóstoles sino también el número de bautizados y discípulos seguía creciendo. A sus apóstoles los invitaba para que se quedaran con él, los capacitaría para que posteriormente continuaran su misión "hasta los últimos confines del mundo". La experiencia que hacían de vida con Jesús los fascinaba y tenían un objetivo, aprender a vivir y anunciar su mensaje, y no les ocultaba las dificultades con las que se encontrarían, "miren que los envío como ovejas entre lobos". La aceptación sin condiciones por parte de los apóstoles era tal que con frecuencia se alegraban por sufrir persecuciones en nombre de su Maestro. Cuando volvían de las primeras experiencias de predicación, Jesús los invitaba a retirarse a descansar a un lugar solitario y ésta era la oportunidad de escucha mutua. Sin duda, le comentaban no sólo las alegrías y los frutos de la predicación, sino también las muchas dificultades a las que cotidianamente tenían que enfrentarse, pero en su nombre y con la fuerza del Espíritu continuaban adelante en su misión.

Jesús recibía reclamos porque la gente se acercaba a sus apóstoles para encontrar alivio y regresaba con las manos vacías. Jesús les reclamaba a sus apóstoles la falta de fe o seguir una metodología humana excluyendo la oración y la penitencia.

El grupo de Jesús seguía creciendo y las tareas aumentaban tanto que a veces no tenían tiempo ni para comer. Era entonces cuando los invitaba a retirarse del bullicio para que descansaran un poco, era la oportunidad para tener un encuentro con su Maestro en el silencio y la oración y darles a conocer al Padre y el proyecto que le había encomendado.

Era tanta la fascinación del pueblo por su Palabra y el testimonio de su persona que una vez para acercarse al Maestro tuvieron que descolgar por el techo a un paralítico.

En este ambiente vivía Judas Tadeo, estaba también fascinado y programando su vida para dedicarse totalmente a seguir a su primo.

En su pueblo se preguntaban de dónde había sacado tanta sabiduría su paisano Jesús si era el hijo de María y José y ese poder mágico que no tenía explicación. Para algunos sus actitudes eran sólo la expresión del demonio; otros, daban gracias a Dios por haberle dado a un hombre tantos poderes; otros se preguntaban si no sería el Mesías esperado; otros reconocían en Jesús al Hijo de Dios entre ellos.

QUIEN QUIERA SEGUIRME, QUE RENUNCIE A SÍ MISMO Y ME SIGA

Esa era la condición para seguir al Maestro, renunciar a sí mismo, aceptar su cruz y seguirlo con toda libertad. Había que dejarlo todo, se los había anunciado con frecuencia. Judas Tadeo y los discípulos estaban ante una encrucijada, dejar el trabajo, la familia por seguir a un predicador nuevo e itinerante que fascinaba, era cierto, pero no tenía nada que ofrecer a cambio sino un reino de paz y de amor. Los apóstoles eran expertos pescadores y en general sin cultura y Judas Tadeo no era la excepción, pero había que dar un "sí" o un "no" para siempre. Sabían que en el matrimonio habían dado ya un sí rotundo, pero ahora estaba este llamado que les hacía este predicador itinerante y fascinante.

Continuó llamando a uno por uno, los encontraba en su lugar de trabajo y uno a uno fueron diciendo sí al llamado.

El Maestro, ya integrado su equipo, les daba clases de capacitación. Con frecuencia eran los diálogos y las reprimendas que les daba, sobre todo cuando se desviaban del objetivo dejando la sencillez y el servicio cambiándolo por el poder y el prestigio; pero sobre todo las clases eran la propia vida del Maestro y las orientaciones que les daba al pueblo que lo escuchaba, aunque con frecuencia a "ellos les explicaba todo aparte".

El Maestro amaba a cada uno de sus apóstoles, así como eran, con su cultura e historia, pescadores o recaudadores de impuestos, para él lo que le interesaba no eran sus pecados o el oficio que dejaban, sino su espíritu de conversión y servicio, la aceptación de su persona, su misión y la pasión por anunciar el reino de Dios. Siempre les recomendaba, "miren que los grandes los oprimen, no sea así entre ustedes, el que quiera ser grande que sea el esclavo de todos". Les espantaban estas clases porque venían de una sociedad agresiva, egoísta, consumista, inclinada al libertinaje y demasiado individualista.

Poco a poco les fue cambiando la mentalidad, y les decía, "antes se les dijo, odien a su enemigo, pues yo les digo amen a sus enemigos". Ningún predicador había tenido el valor de cambiar la Ley. Cuando una madre de familia se le acercó para pedirle un favor, que sus hijos se sentaran uno a la derecha y el otro a su izquierda, los quería a uno como secretario de gobernación y al otro de ministro de hacienda, Jesús pronto la orienta, tendrán que tomar su cruz y beber del cáliz que iba a beber, tendrán que entregar su vida en oblación por muchos. Y les decía con toda claridad, el que quiera ser grande que sea el esclavo de todos. Palabras duras pero era el espíritu de la nueva propuesta.

Al Maestro le costó muchísimo explicarles a Judas Tadeo y sus compañeros la misión que el Padre le había encomendado, una misión de amor y un servicio que transforma. Tenían que aprender a perdonar y amar a todos, porque mi Padre es misericordioso y hace salir el sol sobre buenos y malos. Les fue explicando que su Padre no tiene en las manos un cuaderno para ir apuntando las faltas y condenarlos, mi Padre es clemente y lleno de misericordia, está siempre en favor del pecador; el hombre es su perla preciosa, su tesoro escondido que busca con amor y cuando lo encuentra hace fiesta. Les reforzaba que el hombre es su perla preciosa, su moneda perdida, que cuando se pierde uno lo busca, barre la casa y cuando lo encuentra hace fiesta y los ángeles se alegran.

Las actitudes de sus continuadores deberían ser las mismas de su Maestro y era consciente que necesitarían la fuerza del Espíritu Santo, por eso les hace la promesa que cuando él se fuera se los enviaría, aunque con frecuencia su naturaleza les orientaba hacia el poder y le preguntaban, ¿Maestro, es ahora cuando vas a vencer a los romanos?

El Maestro no se desesperaba ante estas preguntas porque conocía la naturaleza humana inclinada al poder, pero los convencía por su forma de vivir.

Con frecuencia les hablaba con tanta claridad que algunos de sus oyentes se escandalizaban y se apartaban del grupo reclamándole que su forma de hablar era dura y que nadie la podía soportar y regresaban al grupo de los fariseos que se oponían a su propuesta de cambio, cerraban el corazón y continuaban su vida. Les parecían duras las palabras porque el cambio era total, más todavía cuando les pedía renunciar al egoísmo, a la depravación sexual o la venganza:

—Ustedes han oído que se dijo: —No cometerás adulterio—. Pues yo les digo que quien mira a una mujer deseándola ya ha cometido adulterio con ella en su corazón. Quien repudie a su mujer —salvo en caso de concubinato— la induce al adulterio y quien se case con una divorciada comete adulterio. Ustedes han oído —ojo por ojo, diente por diente—. Pues yo les digo que no opongan resistencia al que les hace mal. Antes bien, si uno te da una bofetada en tu mejilla derecha, ofrécele también la otra. Ustedes han oído que se dijo "Amarás a tu prójimo y odiarás a tu enemigo". Pues yo les digo: Amen a sus enemigos, oren por sus perseguidores. Así serán hijos del Padre del cielo, que hace salir su sol sobre malos y buenos y hace llover sobre justos e injustos.

Todo esto los desconcertaba. Y las clases continuaban: —Si amas a quien amas, ¿qué mérito tienes? —Y el colmo del escándalo fue cuando les invitó a comer su carne y beber su sangre.

El cambio era total. Esta era la nueva propuesta de Jesús que fascinaba a Judas Tadeo y sus compañeros, los momentos de silencio y diálogo con su Maestro eran cada vez más intensos. Tenían que captar poco a poco la nueva doctrina para poderlos enviar a predicar. Con frecuencia les daba pequeñas pruebas de su divinidad, por ejemplo cuando se transfiguró ante Pedro, Santiago y Juan o cuando en una boda en Caná convirtió el agua en vino. En una ocasión que les anunció que iban a Jerusalén y que en la ciudad lo acusarían, escupirían, coronarían de espinas y lo condenarían a muerte de cruz, Pedro, que esperaba el cargo de secretario de gobernación, se adelantó diciendo que él evitaría todo eso, su Maestro no podía terminar su vida de esa forma. Jesús tuvo que llamarle Satanás, se dio cuenta de que las clases deberían ser más intensas. Estaban llegando a Jerusalén con todo lo que significaba para él. Por eso, apresuró la capacitación y decidió invitar a Pedro, Santiago y Juan para darles una pequeña prueba de su divinidad transfigurándose ante ellos, no obstante les pidió que no se lo dijeran a nadie hasta que resucitara de entre los muertos.

PRIMACÍA DE PEDRO

El grupo escogido por Jesús estaba consolidado y comenzaba a actuar; tenían que partir a la misión. Estaban preparados,

1. Simón, fue Cristo quien le dio el nombre de Pedro: murió en Roma, mártir, hacia el año 64. Predicó en Samaria, Antioquía y Roma.

2. Santiago el Mayor, hijo de Zebedeo: se cree que murió hacia el año 44. Hermano de san Juan evangelista. Decapitado por Herodes Agripa. Se creía que su cuerpo estaba en Palestina o Egipto. Su cuerpo está en Santiago de Compostela, España.

3. Andrés, hermano de Pedro: fue, como Pedro, discípulo de Juan el Bautista. Posiblemente llevó el Evangelio a Petras, Grecia, donde se cree que murió atado con cuerdas extendido en una cruz.

4. Juan, el menor de los doce, hermano de Santiago, hijos de Zebedeo: se cree que murió en Éfeso, siendo obispo de la ciudad.

5. Felipe de Betsaida: se cree que llevó el Evangelio al norte del mar Muerto, Escitia. Sin duda fue mártir.

6. Bartolomé o Natanael de Caná: no se sabe nada sobre él.

7. Tomás, llamado Dídimo o Mellizo: se cree que evangelizó en la India.

8. Mateo, el publicano o recaudador de impuestos, llamado también Leví: no tenemos datos de su muerte.

9. Santiago el Menor: se tienen pocos datos o casi nada de su vida.

10. Simón el Cananeo: la tradición, sin fundamentos serios, afirma que murió mártir con Judas Tadeo en Turquía. Su fiesta se celebra junto con la de san Judas Tadeo.

11. Judas Tadeo: mártir como la mayoría de los apóstoles. Se cree que murió en Turquía.

12. Judas Iscariote: se suicidó después de traicionar a Jesús. Matías fue su reemplazo.

Judas Tadeo sabía que Pedro estaba destinado a ser el representante de Cristo en la tierra, que tendría sucesores por derecho divino y su misión estaría dentro de la Iglesia católica para presidir tanto a los pastores como a los fieles (LG 22). Sabía que Pedro y sus sucesores tendrían mucha importancia para la comunidad de discípulos, que el vicario de Cristo es su jefe máximo universal y Pastor universal. Judas Tadeo y todos los apóstoles, sea el lugar donde murieran, sabían que Pedro tenía potestad ordinaria sobre ellos, que es suprema, plena, inmediata y universal, y la ejerce por mandato divino.

Pedro recibió de Jesús el mandato de apacentar a sus ovejas, le entregó el oficio de Pastor supremo y lo hizo en comunión con los demás apóstoles.

Jesús le prometió a Pedro estar con él, que su magisterio sería infalible cuando proclamara la doctrina que debe mantenerse en materia de fe y costumbres por un acto definitivo, por eso le prometió que rogaría al Padre para que el demonio no lo zarandeara.

Jesús dijo: —Simón Pedro, Satanás te ha pedido para zarandearte como a trigo; pero yo he rogado por ti, para que tu fe no desfallezca; y tú, fortalece a tus hermanos.

Él contestó: —Señor, estoy dispuesto a ir contigo no sólo a la cárcel, sino también a la muerte.

—Pedro —contestó el Señor—, te digo que el gallo no cantará hoy antes que tú me hayas negado tres veces.

Grande tarea que recibió Pedro: ser vicario de Cristo, cabeza de toda la Iglesia y padre y maestro de todos los cristianos; esta potestad le ha sido dada, por nuestro Señor Jesucristo, con plena potestad divina para apacentar, regir y gobernar la Iglesia universal.

Por eso Judas Tadeo y todos los apóstoles respetaban a Pedro y le reconocían su potestad y jurisdicción, le daban obediencia y no sólo los apóstoles y sus sucesores, sino también todos los bautizados están unidos en obediencia al Papa, profesan la misma fe, constituyen un solo rebaño y un solo Pastor. Es esta la doctrina que Judas Tadeo debía de proclamar hasta dar la vida.

Conforme pasaba el tiempo, los apóstoles continuaban la misión de Cristo, dejando sucesores en las iglesias particulares que iban fundando. San Judas Tadeo no fue la excepción, evangelizaba una ciudad, dejaba obispos y presbíteros y continuaba su camino para fundar nuevamente una comunidad dinámica y difusora del mensaje de Jesús. Los obispos, hoy sucesores de los apóstoles, cuidan y gobiernan individualmente los rebaños particulares que les han sido asignados, están siempre en comunión con Pedro, es decir, con el Papa.

ACTITUDES ANTE LA MISIÓN

Judas Tadeo sabía que Dios Padre había enviado a su Hijo Jesucristo, su primo, con una misión: darles a conocer con sus actitudes cómo es Dios.

—Diles —le encargó Dios a Jesús—, que soy un Padre que los ama, respeta su libertad; siempre los perdona, con tal de que se arrepientan y se amen, diles que no soy ese dios inventado que tiene un cuaderno donde apunta sus pecados para condenarlos, pero que no olviden que soy justo y que al final de su vida tienen que pasar un examen, diles que les preguntarás si te dieron de comer, beber, te vistieron y te visitaron. Diles que no quiero que al final de su vida digan que no sabían que todo lo bueno o malo que hacen al más insignificante de tus hermanos a ti te lo hacen y lo que dejen de hacer a uno de tus hermanos, a ti lo dejan de hacer. Diles que Mateo lo escribió (Mt 25, 31-45). Pregúntales de dónde salió que me pongo iracundo cuando pecan. Diles que los amo eternamente y que nunca olviden que su fin no está en la tierra, sino en la eternidad feliz. Enséñales a recuperar la imagen divina que perdieron al inicio de la humanidad; enséñales el camino del bien y la felicidad, el perdón y la misericordia de unos con otros. Diles que no se dejen engañar nuevamente por el demonio y que estén atentos, que la sociedad no los adormezca con sus ofrecimientos de muerte. Estas palabras, Hijo mío, le dijo Dios Padre a Cristo, encárgaselas a Pedro, a Judas Tadeo, a Santiago, a todos tus seguidores de todos los tiempos, diles que las difundan. A Pedro institúyelo pastor de mi rebaño, a Judas Tadeo y sus compañeros, envíalos a evangelizar, llevarán el poder que te di a ti, curarán como tú curas, evangelizarán como tú lo has hecho.

Cuando Judas Tadeo comentaba a sus oyentes esta doctrina, les decía: —Siéntanse orgullosos de seguir a Jesús en la Iglesia, sean practicantes y dinámicos en la religión; amen, cuiden y defiendan a la Iglesia.

Tadeo recordaba las palabras que Jesús dijo de sus paisanos: "Este pueblo me honra con los labios, pero su corazón está lejos de mí".

No quería esto para sus comunidades. Les comentaba el papel de Pedro en el grupo, que Jesucristo mismo le entregó la tarea de apacentar el rebaño y confirmar en la fe a sus hermanos. El grupo tenía ya continuidad y cabeza: Pedro.

Tres años de capacitación eran suficientes para continuar la misión del Maestro que confiaba a Judas Tadeo y todos sus compañeros. Hacían sus intentos de predicación y, en general, regresaban contentos y fascinados por los frutos, veían que "hasta los demonios se nos someten". Es cierto, les respondía Jesús, vi caer los demonios, pero alégrense mejor que sus nombres están escritos en el cielo. Jesús sabía que su misión terrena estaba llegando al final y ante esta realidad tenía que entregar y confiar su misión a quienes había formado por tres años.

En diferentes ocasiones les había comentado que yendo a Jerusalén los sumos sacerdotes y los escribas lo entregarían al pueblo y le darían muerte.

El programa de Jesús siempre fue claro, "he sido enviado a curar, sanar y anunciar el reino de Dios", que es lo mismo decir, vayan y prediquen mi amor, mi misericordia y el perdón infinito que Dios siempre entrega al hombre. Dios es amor, era la buena nueva que habían de llevar a todo el mundo y la prueba la experimentaban en la persona de Jesús e inclusive les había dado una metodología: "cuando entren a una casa, digan paz a esta casa y en todos los que en ella habitan, si los reciben quédense ahí, curen a los de la casa y coman de lo que les den, háganlo todo gratuitamente porque gratis lo han recibido".

—¿Por qué tantas recomendaciones? —era la pregunta que le hacían a su Maestro.

—Porque la credibilidad del mensaje depende mucho de las actitudes de sus seguidores —respondía— y no quiero que mi mensaje fracase, es como un padre de familia que si quiere formar bien a su hijo, tiene que hacerlo con el ejemplo.

Sabían que la fe se comunica con el testimonio de la vida, porque si anunciaban los principios de su Maestro, tenían que comprobar con la vida cuál era el nuevo camino; sabían que nadie da lo que no tiene; o si pides el bien a tu familia, primero vívelo, de otra manera no exijas nada, se reirán de ti. Judas Tadeo recordaba la bondad de María y José, sus tíos; con cuánto amor educaron a Jesús, y nunca olvidará con cuánta amabilidad atendían en Nazaret a quienes acudían a ellos en busca de favores, o simplemente cuando alguien necesitaba una palabra amiga. Los discípulos percibían que Dios estaba presente en ellos y confiaban en cada palabra que salía de su boca, Judas Tadeo era consciente de esto, y él debía no sólo hablar, sino también vivir el mensaje de su primo Jesucristo, e inclusive recordaba que les dijo que no llevaran ni oro ni plata cuando daban el testimonio, y les pronosticó que serían odiados por su causa, pero que si perseveraban se salvarían.

Tadeo siempre se mantuvo sencillo, sabía que iba en nombre de su Maestro, recordaba las palabras de Jesús: "No está el discípulo por encima del maestro, ni el siervo por encima de su amo. Ya le basta al discípulo ser como su maestro, y al siervo como su amo. Si al dueño de la casa le han llamado Belzebú, ¡cuánto más a sus discípulos!", y les decía, "prediquen, no se preocupen por el alimento, díganle al pueblo que confíen siempre en Dios".

Tadeo trataba de convencer a sus oyentes recordándoles las palabras de su primo:

> Ningún hombre puede servir a dos amos: porque o aborrecerá a uno y amará al otro. No pueden servir a Dios y a las riquezas. Por tanto les digo, no se preocupen por su vida, o qué han de comer o beber, ni por su cuerpo, con qué lo han de vestir; la vida, ¿no vale más que el alimento y el cuerpo más que el vestido? Miren las aves del cielo no siembran, ni siegan, ni recogen en graneros, y su Padre celestial las alimenta. Y, ¿quién de ustedes puede prolongar su vida siquiera un poco? Y el vestido, ¿por qué afanarse? Miren cómo los lirios del campo no trabajan ni hilan; sin embargo, yo les digo que ni Salomón en toda su gloria se vistió como uno de ellos. ¿Y si Dios viste así a la hierba del campo, que hoy está y mañana es echada al horno, no hará mucho más por ustedes, hombres de poca fe? No se preocupen diciendo: "¿Qué comeremos?, ¿qué hemos de beber?, ¿qué vamos a llevar?" De todas estas cosas se afanan los paganos. Su Padre celestial sabe que tienen necesidad. Busquen el reino de Dios y su justicia, y todas estas cosas se les darán por añadidura, así que no se preocupen por el mañana. Cada día tiene ya sus problemas.

UNA MISIÓN DIFÍCIL

Llevar la verdad de Cristo al mundo pagano era difícil. Tadeo se preguntaba si aceptarían la buena nueva. Su Maestro les dio el poder de curar, evangelizar y anunciar su Verdad. ¿Su fe sería suficiente? Sabían que Jesús les había dicho: "por un tiempo me verán pero después ya no". Ellos sabían lo que esto significaba: ya no tendrían a quién preguntarle sus dudas.

Tenían que confiar en Jesús, evangelizarse primero, es decir, purificar su fe y luego salir a evangelizar. Sabían que no eran dueños del mensaje, sino simples siervos y administradores. La fama y el poder estaban descartados en esta misión.

Debían convencer al mundo que Dios da la felicidad plena a través de Jesús y la da sólo a la gente sencilla. Tenían que anunciar que Jesús es el Camino a seguir, la Verdad que salva y da seguridad y la Vida de la gracia que había que poseer. Era necesario anunciar la importancia de estar unidos a Cristo como la vid y el sarmiento. Misión difícil. Estaban a tiempo para rechazar el desafío de la misión porque en esto no había medias tintas.

Tendrían que ser alegres, sonreír, estar contentos aunque estuvieran en la cárcel o recibieran azotes como los recibieron en Jerusalén —Tadeo recordaba bien esto, llevaba las marcas aún en el cuerpo—. Sabían que la alegría es un signo infalible de la presencia de Dios; que debían ir con una sonrisa casi divina no con un rostro fruncido.

Sabían que la evangelización es un acto de amor incondicional a su Maestro con un total convencimiento. Tenían que derramar la sangre por Cristo, por el pueblo.

Los caminos resecos de Israel con un sol calcinante eran el escenario de la predicación de Tadeo. Al poblado que llegara primero buscaría la sinagoga y anunciaría un mensaje desconocido para todo israelita hasta el momento. Moisés y la Ley eran todo para ellos. Y ahora tendría que convencerlos de que Moisés les dio la Ley, los preparó para recibir al Mesías que les daba la gracia y la salvación. Moisés no salva, quien salva es Jesús. Tendrían que predicar un cambio de mentalidad. Hermanos, es Cristo Jesús quien nos transforma y santifica. Es la persona de Jesús que nace en Belén, vive en Nazaret y muere en Jerusalén, había que sostener su argumento con las profecías escritas por los profetas. Es el Mesías anunciado por nuestros antepasados. La lección estaba aprendida. Aprovecharían el tiempo y estarían puntualmente los sábados en la sinagoga, participarían en la lectura de la Ley y los profetas y en el canto de los salmos. Tadeo y Mateo estaban ya formados para este gran desafío y habían decidido unirse para esta tarea. Contaban con algo a su favor: el pueblo esperaba al Mesías y ellos ya lo habían descubierto en el primo de Tadeo. Ellos serían los encargados de anunciarlo porque primero lo habían escuchado por tres años, suficientes para convencerse de Jesús y de su origen divino, este es el Hijo de Dios, el que anunciaron los profetas.

Juan, el primo de Jesús, hijo de Zacarías e Isabel, lo descubrió y se fascinó, y decía "yo no soy digno de desatarle la correa de sus sandalias, yo no soy el Mesías".

Llegó el sábado y había que pasar la prueba. Más por curiosidad que por convencimiento Judas Tadeo y Mateo eran escuchados, aunque con gran incredulidad.

Mateo sabía que Tadeo convivió con Jesús durante toda su vida, por lo tanto podía completarle la catequesis sobre el Maestro.

—Somos parientes —comenzó Tadeo a explicarle a Mateo—, por parte de padre y madre. Su padre José es hermano de mi padre Alfeo y María, su madre, es prima de mi madre Cleofás. Las dos familias pertenecemos a la dinastía de David. José se casó con María y mi padre con mi madre, María Cleofás. Mi primo nació en Belén cuando mis tíos y mi padre fueron a Belén para cumplir con el censo ordenado por Roma, según fuera su linaje de origen.

"De mi primo Jesús lo recuerdo todo, pero nada en especial. Nuestros padres nos permitían jugar, nos exigían y educaban para la rectitud en el hogar. En la sinagoga aprendíamos la Torá, leíamos a los profetas, cantábamos los salmos.

"Mi tío José era carpintero, por eso mi primo pronto aprendió este oficio. Vivíamos cerca por eso los recuerdo cada mañana despidiéndose de mi tía María. Salían en busca de trabajo o se presentaban puntualmente para terminar los ya encomendados. Con frecuencia trabajaban en Nazaret, pero también iban y venían a los pueblos vecinos. Trabajo no les faltaba y cuando no lo tenían en la carpintería, aprovechaban cuidando rebaños de los parientes o amigos que les solicitaban sus servicios.

"Mi padre no fue como mi tío José que sólo tuvo un hijo. Nosotros fuimos cuatro; mi hermana Salomé que hoy vive en Jerusalén, ya casada, yo, mi hermano Santiago, el más sosegado de la casa y José el más pequeño de la familia, el más consentido.

"Cuando mi madre se iba a Jerusalén, nos dejaba con mi tía María. Mujer sencilla, amable; todo el pueblo la amaba, igual que a mi tío José y a mi primo Jesús. Cuando en el pueblo alguna familia tenía alguna necesidad o solicitaban algún servicio, eran los primeros en presentarse con tanta amabilidad que era imposible rechazar su ayuda. Son de esas cosas que no sabes cómo explicarlas. Su presencia fascinaba.

"Pero Mateo —dijo Tadeo—, no te duermas, ¿esos ojos son de admiración o de sueño o más de sueño que de admiración?

—No, Tadeo, son de admiración y contemplación de lo que me cuentas del Maestro. Pensaba mientras hablabas ´¿cómo es posible que el pueblo nunca descubrió, por su amabilidad y sencillez, que tu primo es el Mesías?´

—Cosa difícil, Mateo. Recuerda que mi primo cuando iba a Nazaret y percibía su incredulidad y el rechazo abierto o le pedían que hiciera milagros para creer en él. ¿No recuerdas que comentaban que a ellos no los engañaba como a otros, pues sabían que era el hijo del carpintero y su madre María y nada más?"

EL MESÍAS ESTÁ ENTRE NOSOTROS

—La familia, poco a poco fue tomando su camino. Mi tío José murió. Mi tía María se quedó en Nazaret con mi primo Jesús. Toda mi familia nos fuimos a Jerusalén, trabajamos cultivando viñedos. Mi hermana se casó. Yo me casé y me fui a vivir con mi esposa Marta a Bethabara, tuvimos tres hijos: Juan, Elí y David, hijos maravillosos que me dio Yahvé. La harina y el aceite nunca nos faltaron, siempre tuvimos ovejas, así que la carne la teníamos en abundancia. Yahvé está con nosotros.

"Un día me llegó la noticia de que en Jerusalén había llegado un nuevo predicador y la gente se preguntaba si no sería ya el Mesías, otros decían que era un predicador más de alguna divinidad de esos que nos llegan de Egipto, Grecia o Siria, pero me lo confirmó mi hermano Santiago, quien de vez en cuando nos visitaba. Nos contó que Juan, el hijo de Zacarías e Isabel también era predicador y había identificado ya al Mesías. Nos dijo que Juan hablaba duro y directo, pero afirmaba que él (Juan) no era el Mesías sino que lo identificó con grande solemnidad cuando predicaba en Betania, junto al Jordán, donde Juan bautizaba. Santiago se recuerda de sus palabras, ´yo los bautizo con agua. Entre ustedes hay alguien a quien no conocen, que viene detrás de mí´, y luego dijo que él (Juan) no era digno de desatarle la correa de sus sandalias e inclusive al momento del bautismo se oyó una voz en medio de un trueno que decía, ´este es mi Hijo muy amado en quien tengo puestas mis complacencias, escúchenle´. Mi hermano Santiago me explicó puntualmente estos acontecimientos e inclusive que algunos pescadores ya formaban parte de su grupo, entre ellos Andrés, Pedro, Juan y Santiago, tan convencidos y fascinados quedaron del Predicador que dejaron el trabajo y la familia para seguirle.

"Pero lo más sorprendente —continúo Tadeo emocionado, recordando las palabras de Santiago—, nos dijo que el Mesías es nuestro primo Jesús. A mí mismo me sorprendieron sus palabras; me dijo Santiago que no habla como los fariseos que sólo buscan sus intereses, que piden la santidad a los demás, pero no para ellos. Mi primo no hace las cosas para que lo vean y alaben, ni le gusta sentarse en los lugares de honor, menos que lo saluden en las plazas con reverencias y le llamen maestro, nada de eso. Es diferente a los escribas y fariseos, e inclusive no es como Juan que habla a gritos y ofensas, imagina que hasta raza de víboras les dice Juan a los fariseos, les pide frutos de arrepentimiento y si no los producen, les dice que el hacha ya está apoyada en la raíz del árbol; además se los advierte, ´árbol que no produzca frutos buenos será cortado y arrojado al fuego´. En cambio Jesús, nos dijo Santiago, habla con serenidad, con mucha paz y con tal seguridad que convence con facilidad; habla como quien tiene autoridad. Convence y bien.

"Mateo, me maravillé, cuando mi hermano me dijo que le había preguntado cuántos mandamientos iba a imponer como los fariseos que imponen muchos; dice que respondió, ´sólo amen a Dios y a sus hermanos, como se aman ustedes´.

”Pero un día, Mateo, llegó mi primo Jesús al pueblo, y sin más me dijo sígueme. Su voz era tan suave y divina que no pude resistirme. Tuve una confianza natural en él, habíamos compartido la vida, crecimos, estudiamos, jugamos, íbamos a la sinagoga todos los sábados, así que no me resistí. Son 30 años de amistad, además sentí que su mirada era tan profunda, y aquí me tienes mi querido Mateo. Conforme lo seguía en los caminos fui aprendiendo su mensaje como tú; recuerdas que un día estábamos en Cafarnaúm, otro en Naím o Jericó o en Magdala. La gente lo buscaba fascinados por su mensaje y ese don de curar maravilloso que nos trasmitió. Conforme más lo escuchaba, más me convencía de que mi primo Jesús es el Hijo de Dios: ya no puedo dudar de él.

”Me dan pena nuestras autoridades, dicen que Jesús es un endemoniado, que expulsa los demonios con el poder del jefe de los demonios. Que en su nombre realiza todos esos milagros, aunque mi primo les explique que si hace milagros es señal de que el reino de Dios ya está entre nosotros, pero no los convence, son duros de pelar.

Tadeo seguía narrando su experiencia con el salvador, el Mesías, el Hijo de Dios, mientras Mateo también recordaba su historia y cómo fue capaz de dejar su trabajo de recaudador de impuestos por seguir al Nazareno. Tenía buenas ganancias, pero pudo más el llamado del Salvador.

Tadeo por su parte, cuando recuerda a su familia, sus ojos anuncian el llanto, sin embargo ahí está formando parte del grupo del Nazareno, cuando vuelve a la narración, su rostro se transforma y se llena de gozo pues sabe que su familia está bien: las noticias sobre ellos son frecuentes y buenas.

EL REINO DE DIOS ESTÁ AQUÍ

Jesús tenía muy claro el objetivo de su vida y su misión: predicar el reino de Dios. Tadeo poco a poco aprendía el mensaje y los principios que debía llevar a toda la gente hasta los últimos confines del mundo: era un mensaje de amor, perdón, misericordia que todos podían aceptar o rechazar, sabía que habría algunos oyentes que jugarían con el mensaje pues estarían un poco con Dios y un poco con el demonio. No obstante, el mensaje debería ser predicado. Había principios fuertes que a los fariseos les molestaba mucho, cl quc crca y sc bautice se salvará y el que no crea se condenará. ¿Por qué ellos, los justos y puros, tenían que aceptar ese mensaje? Con frecuencia cambiaba la doctrina que los fariseos seguían y decía: "antes se les dijo, amen a su amigo y odien a su enemigo, pero ahora yo les digo amen a sus enemigos porque si aman a quien los ama, ¿qué mérito tienen?" Estos principios llegaban al corazón de Tadeo. Recordaba muy bien el comentario que les hizo su Maestro, "les conviene que regrese a mi Padre, porque quiero que donde yo esté estén también ustedes".

Judas Tadeo le seguía comentando a Mateo las frases que más llevaba en el corazón y las hacía vida, por su parte Mateo no se quedaba atrás.

Ahora es Mateo quien interviene con las frases que le habían impresionado, al parecer eran más y le pareció oportuno escribirlas.

—Me impresionó —dice Mateo—, su entrada triunfal a Jerusalén, "bendito el que viene en el nombre de Señor, hosanna en el cielo", le gritaba el pueblo. Pensé que ese era el momento, tengo que reconocer mi equivocación, pensaba que por fin se haría la revolución contra los romanos. Pero el pensamiento de tu primo era otro, su proyecto era de amor no de guerra, de salvación divina, no terrena, de rescate del pecado, no de los romanos.

—Recuerdo ahora —dijo Tadeo—, que entró en un burrito y no en un caballo. Era un don nadie entrando así en Jerusalén, los poderosos entran en grandes caballos. También me impresionó cuando llegó a las puertas del templo y, viendo que el barullo era tanto por la venta de animales y el cambio de monedas que su enojo fue tal que empezó a derribar las mesas y a correr a los animales del templo mientras gritaba, "salgan de aquí y dejen de convertir la casa de mi Padre en una cueva de ladrones". ¿Cómo puede la oración purificar en medio de un mercado? Nuestras autoridades salieron a su encuentro y le preguntaron con qué autoridad hacía eso. Las confrontaciones casi llegaban al extremo, pero terminaron cuando tu primo les dijo que destruyeran el templo y él lo reconstruiría en tres días y dejó con su enojo a nuestros dirigentes. El pueblo gozaba cuando les tapaba la boca viendo que no podían responder.

—Los vendedores poco a poco regresaban a la normalidad con la presencia del sumo sacerdote y el sanedrín; tu primo se retiró ya más calmado, pero se notaba en su rostro un gran enojo.

—Varios de nosotros quedamos también desilusionados. Todo anunciaba un fracaso y había que regresar al trabajo, a la familia, tenía que pedirle perdón a mi Marta y a mis hijos por esta fantasía pasajera.

Recordaron sus rostros tristes, las ideas confusas, la salida era un silencio reflexivo como queriendo llegar a una conclusión personal, pausada, seria y rápida a la vez. Al parecer todo se orientaba a retomar la vida después de este engaño.

Pero las ideas del Maestro no eran las ideas de Tadeo y Mateo, sus pensamientos eran los de Dios. Jesús estaba dispuesto a continuar con ese proyecto extraño para algunos a cualquier precio, pues era su Padre quien se lo había encomendado. Jesús sabía todo el tiempo que su Padre había preparado a la humanidad y no podía fallar. Con frecuencia les decía a sus seguidores, "mi alimento es hacer la voluntad de mi Padre que me ha enviado".

Jesús les había anunciado varias veces que el final de su vida sería trágica, e inclusive les había pronosticado que se dispersarían. Jesús estaba triste, Tadeo también presentía el final de su primo.

Tadeo reflexionaba las palabras de su primo y poco a poco comprendía que la misión no era expulsar a los romanos de Palestina, sino expulsar el pecado del corazón de los hombres, anunciar la presencia de Dios, del reino, del Amor hecho hombre, paz y misericordia. El giro de sus ideas era lento, no obstante poco a poco eran cada vez más seguras. Judas Tadeo se preguntaba sobre el pecado y buscaba, en caso de continuar, cómo expulsar el demonio, el mal de las personas, cómo se podía orientar la vida desde el amor de Dios, cómo protegerse de los males de este mundo. Buscaba las palabras de su primo y confiaba que llegarían al corazón del hombre para que respetaran a sus hermanos, mejoraran el trato con los demás en la vida diaria, pensaba cómo les hablaría de la fe. Poco a poco el Espíritu de Jesús los iba colocando en la dirección correcta. A Pedro le había pronosticado que daría su vida por él y así a cada uno les fue encomendando su misión. A Tadeo le encomendaría llevar su mensaje de amor y vida al Oriente, proteger a las personas, curarlas, escucharlas, orar e interceder por ellas; sin duda su primo le recordó que ese era el objetivo por el cual lo había llamado:

—No era necesario que te llamara para que te dieran muerte y permanecieras indiferente ante los casos difíciles y desesperados. Tú, primo del alma, anunciarás la vida, el reino de Dios, el amor, el perdón y la paz; procurarás que todos sean libres porque son hijos de Dios.

Le dijo con claridad, protegerás a mi pueblo. Jesús sabía que cada Apóstol llegaría muy lejos, que los recordarían e invocarían cuando estuvieran en su reino después de su muerte. Su pueblo seguiría gozando de la vida divina y la protección de Dios por intercesión de Judas Tadeo y sus compañeros. Sabía que él y su Padre vendrían a poner su morada en cada hijo de Dios que escuchando su Palabra, la cumplan; sabía que invocarían a su Padre para lograr milagros por la intercesión y oración de Judas Tadeo. A cada uno le dio su tarea de intercesión desde la eternidad. A Tadeo le daría la tarea de ser abogado e interceder ante su Padre por las causas difíciles y desesperadas, lograría una respuesta divina a peticiones lógicas de santidad. Comprendía que muchas veces los hombres no lograrían descubrir la voluntad de Dios y se dejarían llevar por la propia inventando sus propias leyes olvidando las divinas.

Sabía Tadeo que llegaría el momento especial, el momento de la despedida y ellos ya captaban su responsabilidad ante la historia. Sabía que sería ungido por el Espíritu Santo quien le daría la fuerza para llevar el nombre de Cristo al mundo, aceptó el reto y lo sigue cumpliendo desde el reino de Dios hoy y hasta el final de los tiempos.

EL CULMEN DE UNA MISIÓN

Los preparativos para la celebración de la Pascua en cada familia produjeron un gran movimiento en Jerusalén, poco a poco las familias se iban recogiendo en los hogares. Había que celebrar aquel acontecimiento, dejamos de ser un pueblo esclavo para ser un pueblo con libertad, hecho que marcó al pueblo en toda su historia y Yahvé les había pedido recordarlo de generación en generación. Él se encargaba de recordárselo con frecuencia, no te olvides que yo te saqué con mano poderosa de la esclavitud, te hice pasar por el mar Rojo y te di esta tierra que mana leche y miel, y el pueblo lo experimentaba y alababa a Yahvé. Cuando el pueblo, por su infidelidad no experimentaba las bendiciones del Creador, Él se lo recordaba, nuestros padres nos han contado las maravillas que hizo en favor de su pueblo. Cada familia procuraba año tras año que no faltara el más mínimo detalle: había que celebrarlo con gran solemnidad.

Jesús les había dado a sus discípulos los detalles de los preparativos de la Pascua sin saber el cambio total que daría este acontecimiento. Todos estaban a la mesa, pero cuál fue la sorpresa que antes de la cena, Jesús se quitó el manto y comenzó a lavarles los pies a sus discípulos. Comenzaba un cambio total. Pedro se resistía, pero a las palabras de Jesús de quedar fuera del reino si no le lavaba los pies, aceptó sin más.

Jesús comentó que cuánto había deseado celebrar esa Pascua con ellos, la última del Antiguo Testamento. No más machos cabríos, ahora sería él el Cordero de Dios que se inmolaría por todos y por muchos para el perdón de los pecados; ya no sería la sangre del cordero que no sanaba las heridas del pecado, sino sería su misma sangre derramada para el bien de muchos.

Poco a poco Judas Tadeo y sus compañeros fueron comprendiendo el significado del momento que vivían, ahora era su Maestro el Cordero, un Cordero que da libertad, salva, perdona, justifica y santifica. Con su sangre se sellaría la nueva y eterna alianza con el pueblo, y ya no se tendría que hacer una nueva Pascua, ésta era la definitiva, "tomen y coman todos de él, este es mi cuerpo que será entregado por ustedes", luego pasó la copa a los discípulos y les dijo, "tomen y beban todos de él, porque este es el cáliz de mi sangre, sangre de la nueva y eterna alianza que será derramada por ustedes y por muchos para la remisión de los pecados", y luego les encargó que hicieran esto en su memoria.

Un momento difícil que vivieron los apóstoles fue cuando el Maestro les anunció que uno de ellos lo iba a traicionar, el ambiente se puso tenso, no obstante Judas Iscariote siguió con el proyecto de entregar a su Maestro; sin duda confiaba que escaparía de las manos de sus enemigos como lo había hecho en varias ocasiones, así que estaba tranquilo con sus 30 monedas de plata.

El ambiente de despedida y de cena pascual continuaba. Se cumplió el rito de siempre, aunque con las novedades anotadas. No hubo cordero, sino un nuevo Cordero. Es en este momento solemne cuando Jesús les da el mandamiento del amor, les pide que se amen como lo hizo él y que sigan su ejemplo. También les encargó que aquello lo hicieran siempre en su memoria hasta el final de los tiempos.

Las últimas palabras eran importantes, el Maestro se estaba despidiendo. Oró por ellos, "Padre no te pido que los saques del mundo, sino que los preserves del mal". No faltó quien le preguntara si era en ese momento cuando los iba a liberar de los romanos. Todos recordaban la ira que les causó el momento cuando Salomé, la madre de los hijos de Zebedeo le pidió al Maestro que sus dos hijos, Santiago y Juan se sentara uno a su derecha y el otro a su izquierda. Pasarán por los mismos momentos difíciles que yo, les anunció Jesús, pero el sentarse a la derecha o a la izquierda, sólo está reservado para quien diga mi Padre.

Les prometió el envío del Espíritu Santo, les dijo que les enseñaría todas las cosas y les recordaría todos los principios que durante los tres años les había enseñado.

A cada apóstol le fue entregando su misión, todos tendrían que salir a echar demonios y a curar de toda enfermedad y dolencia. Pasó uno a uno aunque en Pedro se detuvo más porque no sólo le encargó sanar, anunciar su reino, sino también ser el primero de los apóstoles que llevara adelante su Iglesia como pueblo de Dios, como sacramento universal de salvación, sería el primer Papa de la Iglesia católica al servicio del reino y de comunión y unidad en esta tierra. Ya durante el último año de escuela, Pedro se distinguía porque siempre hablaba en nombre de sus hermanos, así que no era difícil distinguir en él el primado de los apóstoles.

Salieron hacia el Huerto de los Olivos únicamente Pedro, Santiago y Juan más dormidos que despiertos, Jesús les pidió orar para no caer en tentación. La tristeza de lo vivido en la cena, el anuncio de la traición y muerte del Maestro, no era para menos, había que estar tristes de tal manera que el sueño, la cena, el cansancio y la noticia les ganaron, tal vez también por la oración prolongada del Maestro, sólo escucharon a lo lejos, "Padre, si es posible que pase de mí este cáliz, pero no se haga mi voluntad, sino la tuya".

De pronto escucharon el ruido como de soldados caminando con paso firme, parecía que sabían el objetivo de su misión. Llegó el Maestro a donde estaban los adormilados discípulos y les dijo, "vamos, levántense que el Hijo del hombre ya va a ser entregado". El caminar de los soldados se escuchaba cada vez más cerca. Por fin llegaron hasta donde estaba Jesús. Al frente venía Judas Iscariote. Los discípulos no sabían el porqué, sólo percibieron que Judas Iscariote le daba un beso a su Maestro, el ruido y medio dormidos y avergonzados por las palabras del Maestro les impedía escuchar; sólo Pedro, que ya estaba más despierto reaccionó como lo haría cualquiera: saliendo a defender a su Maestro desenvainó su espada cortándole la oreja a Malco. Jesús la colocó en su lugar y todo quedó en paz porque él quiere paz no violencia.

El remordimiento se apoderó de Judas Iscariote, al ver que su Maestro no salía bien librado, y fue a devolver las monedas. Los acontecimientos anunciados por los profetas fueron cumpliéndose puntualmente y el Maestro fue llevado a la casa de Caifás.

VERDADERAMENTE ERA EL HIJO DE DIOS

En Jerusalén, esa noche quieta y apacible, muchos no se daban cuenta de lo que pasaba en esos momentos en la casa del sumo sacerdote Caifás. Por fin se había apresado al predicador llamado Jesús, pieza clave del nuevo movimiento que estaba dejando sólo confusión, pero sobre todo, ponía en peligro a la nación ante los romanos quienes estaban dispuestos a sofocar cualquier brote de insurrección contra el imperio.

Caifás empezó el interrogatorio pensando encontrar un motivo para condenarlo a muerte. Pregunta a quienes me escucharon, repuso Jesús, nunca hablé en secreto. Por fin alguien de entre el pueblo gritó que Jesús había dicho que destruyeran el templo y en tres días lo reconstruiría. No era tema suficiente para darle muerte. Ya ante Pilato el detonante llegó cuando Jesús afirmó ser Hijo de Dios y aunque Pilato quería soltarlo porque sabía que se lo habían entregado por envidia, la muchedumbre prefería a Barrabás, el ladrón y asesino, para perdonarle la vida y no al Mesías y Salvador. Y así, sin encontrar delito alguno en Jesús lo entregó a la chusma para que lo crucificaran.

Tadeo y todos los discípulos estaban confusos, estaban presentes, pero su cabeza giraba y giraba en torno a lo que presenciaban y el final al que se llegaría: la muerte de su Maestro. La mente estaba tan confundida que no recordaban las palabras que días antes el Maestro les había dicho, "me condenarán, me matarán pero al tercer día resucitaré".

Unos discípulos escondidos, otros siguiendo de cerca los acontecimientos, pero todos estaban al pendiente de su Maestro que caminaba al calvario cargando con la cruz en medio de burlas, caídas, latigazos y llantos. Jesús estaba solo en el camino, los soldados viendo que las fuerzas le faltaban y temiendo que no llegara hasta el final, obligaron a Simón de Cirene, padre de Alejandro y Rulfo, a ayudarle a cargar la cruz.

Juan y algunas mujeres seguían más de cerca al Maestro, sabían que terminaría en la cruz como tantos otros condenados a esta clase de muerte que los romanos aplicaban a los revoltosos y asesinos. Los insultos llegaban a los oídos de María, su madre, y de Cleofás, la madre de Judas Tadeo.

"Baja para que creamos en ti", escucharon el grito de burla; más allá se escuchó otra voz sarcástica, "tú que reconstruyes el templo en tres días, baja de la cruz para creerte". Más cerca se escuchó otra voz que lamentaba que había salvado a otros y no podía hacerlo consigo mismo. Tadeo alcanzó a escuchar la frase del soldado al momento en que Jesús moría y se sentía un terremoto, verdaderamente este era el Hijo de Dios, sin duda el inicio de una nueva vida, no sólo para el soldado, sino para Tadeo y toda la humanidad.

Era viernes. Las familias de los ajusticiados podían reclamar los cuerpos para darles sepultura, pero debía ser antes que iniciase la tarde. El cuerpo de Jesús, en acuerdo con María, María Cleofás y los apóstoles fue reclamado por José de Arimatea.

Sus discípulos asustados pensaban alejarse pronto de Jerusalén "no sea que nuestros jefes también nos busquen por ser seguidores de Jesús", pero por el momento había que dejar pasar el sábado, el domingo sería otra historia. Por el momento, todos en casa supieron que la tumba quedó custodiada por soldados porque se filtró, como siempre la información, que Jesús había dicho que al tercer día resucitaría.

La sorpresa llegó cuando varias mujeres, María Magdalena, Juana y María de Santiago fueron muy de madrugada del domingo y encontraron el sepulcro abierto y vacío. Buscaron y buscaron por el huerto sin encontrar a Jesús, una de ellas lo confundió con el hortelano. Fue su voz y sus palabras lo que las hizo reaccionar y lo reconocieron, además les dio un mensaje para sus discípulos. Pedro y Juan fueron a cerciorarse de que era cierto lo que les contaron las mujeres sin saber qué decir o pensar. Las sábanas con que fue envuelto el cuerpo de Jesús estaban dobladas, además las mujeres también les contaron que un ángel les había dicho que si buscaban al que fue crucificado que nunca lo encontrarían porque estaba vivo, había resucitado. Los guardias avisaron a las autoridades religiosas sobre la desaparición del cuerpo del crucificado.

La vida de Tadeo y los discípulos de Jesús volvía a cobrar sentido y vida. Cleofás y su compañero tuvieron que regresar de Emaús, volvieron contando que Jesús estaba vivo y lo habían reconocido al partir el pan. Pedro y los demás apóstoles les contaron que a ellos también se les había aparecido. Poco a poco con la presencia Jesús resucitado va recobrando sentido la vida de Tadeo con la presencia de su Maestro y no sólo de él, sino de todos los apóstoles. Supieron de la muerte de Judas Iscariote y el final de las 30 monedas.

Se supo también del acuerdo que se llegó en el sanedrín con los soldados romanos que custodiaban el cuerpo: tendrían que decir que se durmieron y que sus discípulos lo habían robado. Los apóstoles no se preocuparon por esa mentira pues los acontecimientos eran otros, la verdad era que el Señor había resucitado. Sólo estaban a la expectativa de los acontecimientos y se dejaban llevar con una seguridad inexplicable.

NACIMIENTO DE LA IGLESIA

Jesús les había dicho que no se retiraran de Jerusalén hasta la venida del Espíritu Santo, Él les daría la fuerza para anunciar su mensaje. Ese día sería el inicio de una predicación que llegaría hasta los últimos confines del mundo. Todos estamos dispuestos, le habían dicho a Jesús, a anunciar el reino y continuar la misión que el Padre te encomendó, y Tadeo no era la excepción. Mientras la ciudad celebraba la fiesta de la cosecha, los discípulos, junto con María la Madre de Jesús y los apóstoles esperaban el momento. Tenían dos opciones: unirse al bullicio de la ciudad o reunirse en oración. Prefirieron reunirse en oración. La hacían alternando con los recuerdos que cada uno guardaba en su corazón y, sobre todo, comentaban el maravilloso hecho de la resurrección del Maestro. La presencia de Jesús resucitado era tan frecuente que cuando llegaba ya no les causaba admiración, pues sabían que era Jesús.

El pueblo estaba celebrando la fiesta de Pentecostés. Año tras año se daba gracias a Yahvé por la cosecha del trigo, cebada y avena. Dios se merece lo mejor, y había que agradecerle ofreciéndole las primeras semillas cosechadas. En Israel se llamaba la fiesta *Shabuah* y los judíos de la diáspora, influenciados por la cultura griega, le llamaban Pentecostés porque puntualmente se celebraba 50 días después de la Pascua. Era una fiesta grande que atraía muchas visitas a Jerusalén por lo vistoso. Todo mundo ganaba, la ciudad santa se preparaba para recibir a cuantos visitantes aprovechaban no sólo la fiesta, sino también para hacer negocios. Tadeo y sus compañeros, ya con otra mentalidad, estaban en espera del momento que el mismo Jesús les había indicado, "no se alejen de Jerusalén hasta que reciban la fuerza del Espíritu Santo", así que decidieron pasar la noche en oración. Poco pudieron descansar por el bullicio de la ciudad.

Ya de mañana, los cantos de los salmos se alternaban cuando de pronto la habitación donde se encontraban se llenó de una luz que nadie puede describir, vino del cielo un ruido huracanado que llenó toda la casa donde se alojaban. Aparecieron lenguas como de fuego, que descendieron por separado sobre cada uno de ellos. Se llenaron todos del Espíritu Santo y empezaron a hablar en lenguas extranjeras, según el Espíritu les permitía expresarse.

La transformación fue total, no sólo en Tadeo, sino en todos los presentes, apóstoles y discípulos. Todos recibieron la fuerza de lo alto del Espíritu Santo, sintieron el gran amor por su Maestro, la misión, su mensaje de amor y salvación que había que anunciar no importando nada, peligros, persecuciones, dar la vida si fuera necesario.

Por motivo de la fiesta de la cosecha, había en Jerusalén judíos piadosos venidos de todos los países del mundo. Al oír el ruido, se reunió una gran multitud y todos estaban asombrados porque cada uno oía a los apóstoles hablando en su propio idioma. Fuera de sí por el asombro comentaban:

—¿Acaso los que hablan no son todos galileos?, ¿cómo es que cada uno los oímos en nuestra lengua nativa?, ¿qué significa esto?

Otros se burlaban diciendo: —Han tomado demasiado vino.

Entonces Pedro, el rudo pescador, el hombre que no tuvo valentía de decir ante la sirvienta del sumo sacerdote que era discípulo de Jesús, ahora con la fuerza del Espíritu Santo se puso de pie y levantando la voz les dirigió la palabra:

"Judíos y todos los que habitan en Jerusalén, sépanlo bien y presten atención a lo que les voy a decir, estos hombres no están borrachos como ustedes sospechan, ya que no son más que las nueve de la mañana. Es Jesús que nos envió su Espíritu cumpliendo la promesa anunciada por el profeta Joel. Ahora escuchen mis palabras: Jesús de Nazaret fue un hombre acreditado por Dios ante ustedes con los milagros, prodigios y señales que Dios realizó por su medio, como bien saben. A este hombre, entregado a los planes y propósitos que Dios tenía hechos de antemano, ustedes lo crucificaron y le dieron muerte por medio de gente sin ley. Pero Dios, liberándolo de los rigores de la muerte, lo resucitó, porque la muerte no podía retenerlo", y con seguridad dijo: "Cristo está vivo". Los oyentes estaban tan convencidos no sólo por lo que habían oído hablar en su propia lengua, sino porque también Dios les concedió la apertura al Espíritu Santo.

Cuando Pedro terminó de explicarles, todos los oyentes le preguntaron a Pedro:

—¿Qué debemos hacer, hermano?

—Arrepiéntanse y háganse bautizar invocando el nombre de Jesucristo, para que se les perdonen sus pecados, y así recibirán el don del Espíritu Santo. Porque la promesa ha sido hecha para ustedes, para sus hijos y para todos aquellos que están lejos a quienes llamará el Señor nuestro Dios. Pónganse a salvo, aléjense de esta generación malvada.

Se bautizaron en aquel día unas 3000 personas.

Ante este gran acontecimiento, la mente de Tadeo y sus compañeros ya era otra, las ideas estaban claras y seguras, la fuerza del Espíritu Santo llenó su corazón de alegría y seguridad. Tadeo regresó a casa de su hermana Salomé quien le tenía también buenas noticias de su familia, también habían escuchado el mensaje del Mesías. Su alegría fue doble. Contento y lleno del Espíritu Santo y la noticia de la familia, había que salir a predicar a Jesucristo vivo. Ya nada ni nadie le importaba, sólo salir a predicar con la misma fuerza como Pedro lo había hecho esa mañana de Pentecostés ante el pueblo.

SI ES OBRA DE DIOS, ESTARÍAN LUCHANDO CONTRA ÉL

Tadeo y los apóstoles continuaban bautizando en Jerusalén, los milagros ahora los realizaban los discípulos en nombre de Jesús resucitado.

—No tengo oro ni plata, te doy lo que tengo, en nombre de Jesucristo el Nazareno, levántate y anda —le dijo Pedro a un paralítico que pedía limosna en la puerta del templo cuando se dirigía con Juan a la oración.

Toda la gente alababa a Dios menos las autoridades religiosas y civiles de la ciudad. Las autoridades religiosas y civiles llamaban a los apóstoles, los golpeaban, les prohibían predicar en nombre de Jesucristo resucitado, los metían a la cárcel, no llegaban a más porque temían a la multitud.

Los bandos se iban clarificando: quienes preferían mantenerse fieles a la Ley de Moisés y los que ahora estaban convencidos de que el camino era Jesús de Nazaret, quien padeció, murió y resucitó. Sabían que es Cristo quien da la gracia, santifica y salva y no la Ley de Moisés, decían Moisés nos dio la Ley, Cristo nos da la gracia. El número de los que se hacían bautizar era impresionante.

Las autoridades de Jerusalén quisieron detener este fenómeno, primero con mentiras, diciendo que la resurrección del crucificado era un invento de sus discípulos que no querían regresar a la rutina de pescadores; luego los llamaban ante el sanedrín y el sumo sacerdote, furibundo les reclamaba, diciéndoles:

—¿No les habíamos prohibido terminantemente enseñar en nombre de ése? En cambio, ustedes han llenado Jerusalén con sus enseñanzas y así quieren hacernos responsables de la sangre de ese hombre.

Pedro, ya a la cabeza del grupo, les respondió: —Hay que obedecer a Dios antes que a los hombres. El Dios de nuestros padres resucitó a Jesús, a quien ustedes mataron colgándolo de un madero. La diestra de Dios lo exaltó, haciéndolo jefe y salvador, para otorgarle a Israel la conversión y el perdón de los pecados. Nosotros somos testigos de estos hechos y también el Espíritu Santo, que Dios da a los que le obedecen.

Después de hacerlos azotar, les prohibieron hablar en nombre de Jesús y los soltaron. Tadeo y los demás apóstoles salieron del sanedrín gozosos de haber sido considerados dignos de aquel ultraje por el nombre de Jesús.

Las amenazas continuaron, todos los intentos de parar la difusión del mensaje de Jesús fueron inútiles. Las reuniones al interior del sanedrín eran todos los días, se comentaban los miles de seguidores bautizados en esos días.

Fue entonces que intervino un fariseo llamado Gamaliel, doctor de la Ley, muy estimado de todos en el pueblo, se levantó y ordenó que hicieran salir a los apóstoles que los habían convocado nuevamente. Se dirigió a la asamblea diciendo: —Israelitas, fíjense bien en lo que van a hacer con estos hombres. Porque no hace mucho surgió Teudas que se hacía pasar por un gran personaje, y le siguieron unos 400 hombres. Lo mataron y todos sus seguidores se dispersaron y acabaron en nada. Más tarde, durante el censo, surgió Judas el Galileo y arrastró a mucha gente del pueblo. También él pereció y todos sus partidarios se desparramaron.

Por eso, ahora les aconsejo que no se metan con esos hombres, sino que los dejen en paz, porque si esta idea o esta obra que ellos intentan hacer fuera cosa de hombres, fracasará; pero si es cosa de Dios, no podrán destruirlos y estarían luchando contra Dios. Las autoridades escucharon a Gamaliel.

El camino estaba más despejado por el momento, Jesús les había dicho que su Iglesia siempre tendría persecuciones, pero ahora estaban ante esta realidad y les tocaba organizar la naciente Iglesia no sólo en Jerusalén sino salir a todos los países. Santiago el "hermano" del Maestro se quedó en la ciudad, los demás partieron a lugares cercanos, después llegaron hasta los confines del mundo. Felipe fue a Antioquía de Siria, Andrés a Damasco, Judas Tadeo a ciudades cercanas y después a Oriente, Mateo a Betsaida, Juan y Santiago su hermano a Ascalón, Gaza e Indumea, Tomás a Partia, Pedro a Jope y Cesárea, Bartolomé a Jericó.

Las ciudades vecinas comenzaron a recibir a los evangelizadores, en algunas partes los recordaban con cariño, estaban vivas las palabras y los milagros del Maestro, así que eran bien recibidos. Judas Tadeo predicaba y bautizaba en el nombre de Jesús, curaba, expulsaba demonios. La presencia del resucitado en muchas ciudades era notable no sólo por la predicación de los apóstoles, sino por el sinnúmero de milagros que obraban en el nombre de Jesús.

Tadeo les explicaba todo lo que Jesús les enseñó y les animaba a creer y bautizarse en su nombre. Ante el bien que realizaba daba continuamente gracias a Dios por el llamado que su primo Jesús le había hecho para anunciar su mensaje.

—Ustedes —les decía Tadeo—, edifiquen su vida sobre la santidad de su fe. Oren movidos por el Espíritu Santo y consérvense en el amor de Dios esperando que la misericordia de nuestro Señor Jesucristo los lleve a la vida eterna.

Judas Tadeo sabía que si un creyente en Cristo no concretizaba su fe con obras tendría una fe vacía; por eso les decía, ayuden a los que tienen dudas, den de comer al hambriento, visiten a los enfermos y presos, hagan el bien, aléjense de quienes los inducen al mal.

Al despedirse siempre agradecía y alababa a Dios por su presencia y gracia que percibía en su misión. Se recordaba de las palabras de su primo, "yo estaré con ustedes hasta el final del mundo".

Así escribió en su carta, "al que tiene poder para mantenerlos sin pecado y presentarlos alegres e intachables ante su gloria; al Dios único que es nuestro Salvador, la gloria, la majestad, la soberanía y el poder, por medio de nuestro Señor Jesucristo, desde antes de todos los tiempos, ahora y por todos los siglos. Amén".

Pero las cosas en Jerusalén se ponían cada vez más difíciles, no obstante las palabras de Gamaliel. Los fariseos no estaban de acuerdo con que la doctrina de Jesús suplantara la Ley de Moisés. Había que seguir circuncidándose y cumplir los 613 preceptos si querían ser santos ante Yahvé. "Quien salva es la Ley no la gracia de Jesucristo", decían los fariseos y los apóstoles afirmaban, "la Ley sólo preparó la gracia, es Cristo el que salva, justifica y santifica".

Judas Tadeo regresó a Jerusalén donde encontró a Santiago, quien ya era obispo. El rey Herodes emprendió una persecución contra algunos miembros de la Iglesia. Hizo degollar a Santiago, el hermano de Juan. Y viendo que esto agradaba a los judíos, hizo arrestar a Pedro durante las fiestas de los Ázimos. La persecución arreciaba, Esteban daba la vida por su fe en el Maestro resucitado.

Judas Tadeo salió de Jerusalén a continuar la predicación de su Maestro.

MISIÓN DE SAN JUDAS TADEO

Judas Tadeo salió de Jerusalén a anunciar a Cristo con la pasión del enamorado deseoso de compartir el amor de su Maestro, con una misión nueva que salva.

Los días se le hacían cortos, la misión de Cristo estaba viva y seguía adelante ahora con una nueva realidad: la Iglesia católica estaba dando sus primeros pasos. Contaba con el poder de Cristo que actuaba a través de Judas Tadeo y sus compañeros, se daba vista a los ciegos, se curaba a los paralíticos y los enfermos sanaban pero las persecuciones estaban a la orden del día.

Tadeo había comprendido la misión de instaurar el Reino de Dios en este mundo, el llamado de su primo y la formación por tres años, su fe en la resurrección respaldaban sus palabras y milagros; había conocido muy bien el proyecto de salvación, participó en la misión de Jesús acompañándolo. Estando con él, había recibido su mandato y autoridad, vayan en mi nombre y hagan discípulos míos a todas las gentes. Tenía cartas y campo a su favor.

Ahora había que salir en busca de las ovejas descarriadas y anunciarles la buena nueva. Judas Tadeo y sus compañeros estaban no sólo preparados, sino también decididos a actuar. Había que decirle al mundo que para llegar al reino de Dios hay unas condiciones especiales que tienen como fuente el amor al prójimo y amar a Dios sobre todas las cosas. La tarea era lograr muchos discípulos de Jesús enseñándoles el amor a Dios y al prójimo, había que convencerlos de que primero hay que buscar el reino de Dios y su justicia y lo demás vendrá por añadidura. Ellos debían colocar en el corazón del hombre que la voluntad de Dios es la felicidad del hombre y que todos deberían colaborar para lograr este objetivo divino.

Llevaban la confianza del Maestro que les había dicho, quien a ustedes escucha a mí me escucha, Judas Tadeo lo sabe, la misión es de Cristo, él lo representa, él es sólo un discípulo enviado y había que hacerlo bien.

La perseverancia era necesaria porque Judas Tadeo saldría a evangelizar a cientos de pueblos que tenían muchos dioses, iría a los pueblos en donde la moral estaba ausente y la prostitución era sagrada. Proponer la doctrina de Jesucristo en este ambiente no era nada fácil.

Según la tradición, Judas Tadeo recorrió primero una parte de Israel hasta llegar a Osroena, un pequeño reino cuya capital era Odesa, hoy Turquía, donde el dios principal era Bel quien, como todos los dioses de la antigüedad, tenía su culto, sus fiestas y sus sacerdotes, con frecuencia adivinos, brujos o simplemente individuos pertenecientes a una casta al servicio de la divinidad.

El trabajo era mucho, pero en nombre de Cristo las cosas se facilitarían, además ya su Maestro les había anunciado que se enfrentarían a grandes dificultades. Judas Tadeo no era ajeno a ellas, en Jerusalén ya había sufrido algunas, así que estaba prevenido para lo que viniera con tal de predicar el Evangelio.

Cuando un apóstol llegaba a una ciudad, lo primero que buscaba era la colonia judía y la sinagoga. Tadeo así procedió. Buscó a sus paisanos para hospedarse por lo menos con alguien que hablara el mismo lenguaje y conociera la historia de Israel y la espera del Mesías. Encontraba comunidades judías que aún no sabían que el Mesías había llegado y estaba vivo, como cuando Pablo llegó a Éfeso y les preguntó si ya habían recibido el Espíritu Santo, la respuesta fue "ni siquiera hemos oído si hay Espíritu Santo". Eso le pasó a Judas Tadeo, se encontraba con comunidades judías de la diáspora que ni siquiera habían oído que el Mesías ya estaba entre nosotros.

Encontró la colonia judía y, sin tardar, inició el anuncio de Cristo. Poco a poco Judas Tadeo ganaba seguidores para Cristo en esta ciudad pagana, tanto que en pocos años la comunidad cristiana contaba con presbíteros y diáconos que daban vida a las comunidades. Como en todas partes sucedía cuando llevaba la buena nueva de Jesús, encontraba judíos que se oponían y no sólo eso, sino que trataban de terminar con el mensaje persiguiendo y contradiciendo a Tadeo.

Pero la grande conquista sería la conversión del rey Abgar V Ukhama que le abriría la puerta al cristianismo. La tradición cuenta que un día el rey Abgar mandó arrestar a Judas Tadeo, pero cual fue su sorpresa que en lugar de ir al calabozo en espera de la acusación, lo llevaron a la sala de los huéspedes distinguidos. Sin más fue llevado ante el rey que tenía la cara y las manos llenas de lepra, enfermedad incurable que poco a poco ganaba la vida del soberano. El rey le comentó el sufrimiento y lo difícil que era gobernar un pueblo en su condición e inclusive que había recibido días antes a los sacerdotes del dios Bel, ellos le dijeron que él, Judas Tadeo, quería destruir el reino predicando a un Dios llamado Jesucristo, muerto y resucitado.

El rey le contó que había tenido un sueño con la presencia de un ángel y le había hablado de un reino. El rey le pidió que le explicara sobre ese Reino.

Tadeo empezó a narrar la historia del Mesías desde el Antiguo Testamento, la caída del hombre al inicio de la humanidad, la promesa de Dios de enviar un salvador que fue anunciado por los profetas, la preparación de la humanidad para su llegada. La llegada a este mundo del Salvador a través de María, su familiaridad con Jesús, su primo; sus 30 años de preparación para su misión y detalle a detalle fue narrando los tres años de la predicación de Jesús y su contenido, llegó a la narración de la resurrección y todos los acontecimientos posteriores, los milagros de Pedro y Juan, la predicación que él había realizado en los alrededores de Jerusalén. El rey escuchaba con atención, sobre todo cuando Tadeo le decía que el mensaje de Jesús era un mensaje de perdón, amor y misericordia. Uno a uno le fue describiendo los principios de la vida cristiana y sus objetivos de transformación interior, y no sólo una transformación interior, sino que el amor cristiano sería la fuente de esa transformación social. Abgar seguía paso a paso la narración, hacía preguntas que puntualmente le eran respondidas y quedaba satisfecho con ellas.

ACEPTACIÓN Y RECHAZO DEL MENSAJE DE CRISTO

El rey Abgar no sólo quiso escuchar a Tadeo, sino que deseaba que sus colaboradores también conocieran el mensaje de amor y paz proclamado por Tadeo. El deseo fue cumplido y también ellos quedaron maravillados ante el mensaje que Judas Tadeo compartía.

Les habló de las bienaventuranzas, quedaron maravillados del proyecto de Jesús sintetizado en ellas:

—Si viven las bienaventuranzas, ustedes serán luz del mundo, sal de la tierra, es decir —les dijo—, serán camino de transformación social. Les fue explicando en qué consistía este proyecto. Tadeo les explicó lo siguiente:

—"Bienaventurados los pobres de espíritu, los mansos de corazón... porque de ellos es el reino de los cielos."

Le preguntaron quiénes eran los pobres y los mansos y Judas Tadeo les hizo la siguiente reflexión:

—Son los humildes delante de Dios, los que confían en Él, los que mantienen la calma en las dificultades, los que están abiertos a la bondad y la misericordia de Dios, los que están vacíos de ego, de autosuficiencia, los que mantienen la armonía interior, los que tienen a Dios y lo comparten con la sociedad, los que tienen la sabiduría de Dios.

Siguió con **“Bienaventurados los que tienen hambre y sed de justicia... Bienaventurados los que lloran...”** y les explicaba que debían mantener la fidelidad a Dios en la sociedad, saber discernir siempre cuál es la voluntad de Dios, que poco a poco obtendrían la santidad de vida, que procurasen buscar primero el reino de Dios y su justicia sabiendo que todo lo demás se les daría por añadidura, les decía que su manera de ser fieles a Dios debería ser diferente de los seguidores de Bel.

Tadeo continuó: **“Bienaventurados los misericordiosos”**, les dijo que el amor fraterno debía salir a las calles y derrochar la vivencia de la misericordia. Les habló de la parábola del Samaritano que bajó de su cabalgadura para auxiliar a un desconocido golpeado. Les explicó que tener misericordia significa perdonar 70 veces 7, les dijo que para el pueblo de Israel 7 es siempre.

Luego les explicó brevemente **“Bienaventurados los que trabajan por la paz”** y les dijo que son personas reconciliadas con Dios, las que saben reconciliarse con el prójimo y con la naturaleza, les dijo que era necesario difundir el don del amor misericordioso que se recibe de parte de Dios.

Tadeo continuó, **“Bienaventurados los de corazón puro”** y les explicó qué significa eso, es aquel que tiene una mente simple, ni dobles agendas. Significa tener un corazón inclinado al bien, a la gratuidad, a la bondad, a la misericordia, con rectitud interior, tener un corazón como el de Jesús, Tadeo les explicó que son aquellos individuos que dejan la huella del amor de Dios por donde pasan, son aquellos que llegan a decir, “Jesús, tu corazón es mi corazón, tus palabras mis palabras...”

Los colaboradores del rey quedaron fascinados por la doctrina que les mencionó Tadeo e iniciaron el proceso para recibir el bautismo.

El rey le comentó a Tadeo que ya había oído hablar de Cristo, y no sólo eso sino que Cristo le había comunicado que algún día llegaría un apóstol y le predicaría su mensaje de amor a él y a su reino y lo curaría de su lepra.

—Después del sueño, Tadeo —dijo el rey—, envié a uno de mis colaboradores para que verificara y me trajera pruebas del Mesías y, como era pintor, le pedí que me lo describiera en pintura.

Tadeo quedó maravillado al ver en pintura la imagen de su primo Jesús y el rey se percató del parecido con Tadeo. Los ojos del rey se llenaron de lágrimas; en ese momento recordó Tadeo la frase que su primo le dijo a Tomás el incrédulo, "dichosos los que creen sin haber visto". El rey había creído en Jesús sin haberlo visto y quedó sano en el nombre de Jesús Nazareno. Para los médicos les fue imposible, no para Dios. La ciudad acudió a mirar a su rey y también ellos estaban deseosos de escuchar el mensaje que Tadeo puntualmente anunciaba. Los bautismos no se hicieron esperar, la comunidad cristiana estaba feliz del triunfo de Cristo y alababan a Dios por haber enviado a su Hijo Jesucristo y la presencia de su apóstol Judas Tadeo.

Tadeo continuaba realizando milagros, curaba toda clase de enfermedades, expulsaba demonios, escuchaba, orientaba, solucionaba los problemas difíciles, regresaba la paz a las personas, propiciaba la caridad y el amor en las familias. Sus enemigos también aumentaban, sobre todos los seguidores de Bel aunque el rey los puso en su lugar e inclusive quería hacerlos desaparecer, cosa que Tadeo impidió porque el amor de un cristiano lleva al perdón, no a la destrucción.

Cuenta la tradición que un buen día apareció en Edesa el apóstol Simón, el de Caná de Galilea que había venido a colaborar con Judas Tadeo en la evangelización después de haber pasado por Egipto.

MUERTE DE SIMÓN Y JUDAS TADEO

Los dos apóstoles de Cristo decidieron llevar el mensaje a otra ciudad, a Suanir, Persia. En este lugar la suerte no fue la misma para Judas Tadeo y Simón. Un día escucharon una frase por toda la ciudad, "mueran los cristianos". El apóstol Simón murió apuñalado y Judas Tadeo rematado a garrotazos.

En Odesa el rey Abgar al conocer la noticia mandó levantar una iglesia para venerar a Judas Tadeo.

Cuenta la tradición que fue el mismo rey Abgar quien mandó pintar la imagen de Judas Tadeo. Copió el rostro de Cristo que tenía en la pintura, pues eran muy parecidos no sólo por ser primos, sino por la intimidad de Judas Tadeo con él. Pintaron una medalla, se la colocaron en el pecho con la imagen de Cristo, dorada, signo de realeza y divinidad; le colocó un garrote instrumento de su muerte y la llama en la cabeza, significando el fuego del Espíritu Santo que le daba luz y sabiduría para predicar el mensaje cristiano.

Así terminó su vida san Judas Tadeo dando la vida por su primo para la Gloria del Padre, del Hijo y del Espíritu Santo. Amén.

CONCLUSIÓN

Si comparamos el ambiente que Judas Tadeo y Simón encontraron no sólo en Suanir, una ciudad cerrada al verdadero Dios, sino en la sociedad de hoy, esta actitud de rechazo a Dios la encontramos en algunas de nuestras familias. El papa Benedicto XVI dijo "hay gente que vive como si Dios no existiera y nunca fueran a morir". Naturalmente que el número de los verdaderos seguidores de Cristo en la Iglesia católica somos muchos, aunque el porcentaje en nuestra patria esté bajando.

Cristo está en nuestra sociedad: unos lo aceptan, otros lo rechazan, unos lo buscan por conveniencia como los que lo vieron multiplicar el pan; otros lo buscan porque descubren en él al Hijo de Dios, otros lo critican y lo quieren desaparecer o destruir. La historia se repite, siempre habrá gente que esté peleando contra Dios inútilmente.

Los dioses como Astarté, Osiris, Artemisa, Iris, Horus o Bel siguen vivos pero hoy con otros nombres. Felicidades porque tú eres seguidor del verdadero Dios.

El Papa denunció que en muchas partes del mundo se vive un ambiente "secularizado y a veces hostil a la fe cristiana". Ser cristiano católico hoy es tan difícil como ayer. La crisis de valores en las familias va en aumento, por eso, si amas a Cristo y a su Iglesia, si eres devoto de san Judas Tadeo, trabaja para que en tu familia reinen los valores católicos, procura que en tu hogar se medite la Palabra de Dios, se participe en la Misa dominical, se conozca el *Catecismo de la Iglesia Católica* para que la "indiferencia religiosa" termine y tu familia viva empapada del Dios verdadero y lo anuncie. Y si Dios te llama a evangelizar las familias, comenta con tu párroco este deseo que tienes, sin olvidar que todo bautizado es discípulo misionero.

La misma devoción a san Judas Tadeo debe llevarte a Cristo, a una vida cristiana mejor y santa que se irradia. Si eso no sucede y el amor a san Judas Tadeo es sólo por interés material (para que el dinero no te falte y te saque de un problema difícil), entonces esa sería una devoción muy pobre a san Judas Tadeo.

SEGUNDA PARTE

QUINCENARIO EN HONOR A SAN JUDAS TADEO

DÍA 1

En el nombre + del Padre, + del Hijo y del + Espíritu Santo. Amén.

Apóstol san Judas Tadeo, con la confianza que tengo en tu intercesión ante mi Padre Celestial, te pido la gracia de saber alejarme del pecado, hacer el esfuerzo por encontrar el camino de la felicidad en este momento difícil y desesperado de mi vida, para que contigo y tu primo Jesús goce de la felicidad de Dios, la comparta en la sociedad y después la disfrutemos eternamente.

REFLEXIONA: "Si alguien me ama cumplirá mi Palabra, mi Padre lo amará, vendremos a él y habitaremos en él" (Jn 14, 23).

SAN JUDAS TADEO, ayúdame a cumplir la Palabra de Dios y ser templo del Padre, del Hijo y del Espíritu Santo.

ORACIÓN: Dios Padre de bondad, que has dicho a través de tu Hijo Jesucristo que si alguien te ama harías en él tu morada, por la intercesión de san Judas Tadeo concédeme el don de amarte para que siendo tu morada, cuando se me presente una situación difícil, seas tú quien me dé la serenidad y saber encontrar con tu ayuda el mejor camino, expresión de tu voluntad. Hoy te pido, por intercesión de san Judas Tadeo la siguiente gracia (se expresa). Amén. Gloria a Dios.

CORONILLA: Por intercesión de san Judas Tadeo, que sea templo del Espíritu Santo (diez veces), o:
CORONILLA: Con tu bendición Señor Dios, la intercesión de san Judas Tadeo y mi esfuerzo nunca me faltará trabajo, casa, vestido y sustento (diez veces).

COMPROMISO: Mi catolicismo no está en venta.

Padre nuestro. Ave María. Gloria al Padre.

DÍA 2

En el nombre + del Padre, + del Hijo y del + Espíritu Santo. Amén.

Apóstol san Judas Tadeo, con la confianza que tengo en tu intercesión ante mi Padre Celestial, te pido la gracia de saber alejarme del pecado, hacer el esfuerzo por encontrar el camino de la felicidad en este momento difícil y desesperado de mi vida, para que contigo y tu primo Jesús goce de la felicidad de Dios, la comparta en la sociedad y después la disfrutemos eternamente.

REFLEXIONA: "Andrés hermano de Simón Pedro, era uno de los dos que oyeron lo que Juan el Bautista decía y siguieron a Jesús. El primero a quien encontró Andrés, fue a Simón Pedro, y le dijo: "Hemos encontrado al Mesías" (que quiere decir el "Ungido") (Jn 1, 41).

SAN JUDAS TADEO, guía mis pasos para que busque y encuentre a Jesús en mi realidad familiar y social, después tenga la valentía, como tú, de anunciar con el silencio de mi testimonio, "he encontrado al Mesías".

ORACIÓN: Dios Padre bueno, tu amor es lo que me da sentido y transforma mi vida, es la fuente de mi alegría y serenidad en los momentos difíciles y desesperados. Te pido, por intercesión de san Judas Tadeo y por la coherencia en mi vida cristiana que, no obstante los problemas que me agobian, sea la presencia de tu amor y tu gracia quienes me ayuden para encontrar la orientación y solución de mis problemas. En especial hoy te pido esta gracia (se expresa). Amén. Gloria a Dios.

CORONILLA: Señor, por intercesión de san Judas Tadeo protégeme de todo mal (diez veces), o:
CORONILLA: Con tu bendición Señor Dios, la intercesión de san Judas Tadeo y mi esfuerzo nunca me faltará trabajo, casa, vestido y sustento (diez veces).

COMPROMISO: Convertiré en certidumbres mis incertidumbres.

Padre nuestro. Ave María. Gloria al Padre.

DÍA 3

En el nombre + del Padre, + del Hijo y del + Espíritu Santo. Amén.

Apóstol san Judas Tadeo, con la confianza que tengo en tu intercesión ante mi Padre Celestial, te pido la gracia de saber alejarme del pecado, hacer el esfuerzo por encontrar el camino de la felicidad en este momento difícil y desesperado de mi vida, para que contigo y tu primo Jesús goce de la felicidad de Dios, la comparta en la sociedad y después la disfrutemos eternamente.

REFLEXIONA: "Cuando Jesús entró en la casa, los discípulos le preguntaron aparte: '¿Por qué nosotros no pudimos expulsar este demonio?' Respondió Jesús, 'esta clase de demonios sólo sale a fuerza de oración'" (Mc 9, 2 8-29).

SAN JUDAS TADEO, por tu intercesión, concédeme la gracia de comprender que muchos demonios salen de mi vida sólo con la oración, el ayuno y la penitencia.

ORACIÓN: Dios Padre de Jesús, concédeme, por intercesión de san Judas Tadeo, la gracia de comprender que la solución de algunos problemas de mi vida está en mis manos, en mi fuerza de voluntad, en la autenticidad de mi oración, en la coherencia de mi vida cristiana, en el diálogo sencillo, cotidiano y perseverante, pues comprendo que el demonio siempre intenta instalarse en mi vida. Hoy, Señor, te pido, por intercesión de san Judas Tadeo, la siguiente gracia (se expresa). Amén. Gloria a Dios.

CORONILLA: Por intercesión de san Judas Tadeo, Señor, concédeme el don de la oración que transforma y santifica (diez veces), o:
CORONILLA: Con tu bendición Señor Dios, la intercesión de san Judas Tadeo y mi esfuerzo nunca me faltará trabajo, casa, vestido y sustento (diez veces).

COMPROMISO: Me comprometo a promover, como católico comprometido, las vocaciones sacerdotales y consagradas para el servicio de Dios en la Iglesia desde el carisma diocesano, paulino, claretiano, franciscano, dominico, jesuita, benedictino, agustino, salesiano e institutos seculares de vida consagrada.

Padre nuestro. Ave María. Gloria al Padre.

DÍA 4

En el nombre + del Padre, + del Hijo y del + Espíritu Santo. Amén.

Apóstol san Judas Tadeo, con la confianza que tengo en tu intercesión ante mi Padre Celestial, te pido la gracia de saber alejarme del pecado, hacer el esfuerzo por encontrar el camino de la felicidad en este momento difícil y desesperado de mi vida, para que contigo y tu primo Jesús goce de la felicidad de Dios, la comparta en la sociedad y después la disfrutemos eternamente.

REFLEXIONA: "Los fariseos y los doctores murmuraban, 'Éste recibe a los pecadores y come con ellos'" (Lc 15, 2).

SAN JUDAS TADEO, es verdad que soy pecador, pero un pecador que tiene la actitud del hijo pródigo que está dispuesto a levantarse e ir a decirle a su Padre, he pecado contra el cielo y contra ti. San Judas Tadeo, logra del Padre de Jesús me convierta de un gran pecador en un gran santo.

ORACIÓN: Señor Jesús, sé que muchos de mis problemas que me bloquean, estresan y desesperan tienen su origen en mi interior, en mi falta de fe, caridad, diálogo, por la lejanía del sacramento de la reconciliación. Señor, te amo, creo en ti, en san Judas Tadeo, por eso Señor Dios Padre, por su intercesión, dame la gracia de regresar a mi Padre y decirle, tómame como al último de tus hijos, entonces sentiré que mis problemas y confusiones bajan de intensidad y se aclaran, me sentiré nuevamente hijo de Dios, con mi dignidad cristiana, sentiré como este hijo tuyo que estaba perdido y fue encontrado. Hoy Señor Dios, en nombre de san Judas Tadeo te pido la siguiente gracia (se expresa). Amén. Gloria a Dios.

CORONILLA: San Judas Tadeo, no permitas que sólo venga a pedirte las soluciones sin arreglar mis confusiones (diez veces), o:
CORONILLA: Con tu bendición Señor Dios, la intercesión de san Judas Tadeo y mi esfuerzo nunca me faltará trabajo, casa, vestido y sustento (diez veces).

COMPROMISO: Descubriré más la presencia de Dios en mi prójimo.

Padre nuestro. Ave María. Gloria al Padre.

DÍA 5

En el nombre + del Padre, + del Hijo y del + Espíritu Santo. Amén.

Apóstol san Judas Tadeo, con la confianza que tengo en tu intercesión ante mi Padre Celestial, te pido la gracia de saber alejarme del pecado, hacer el esfuerzo por encontrar el camino de la felicidad en este momento difícil y desesperado de mi vida, para que contigo y tu primo Jesús goce de la felicidad de Dios, la comparta en la sociedad y después la difrutemos eternamente.

REFLEXIONA: "Después de comer, Jesús dijo a Simón Pedro: 'Simón, hijo de Juan, ¿me amas más que éstos?' Él le respondió: 'Sí, Señor, tú sabes que te quiero'. Jesús le dijo: 'Apacienta mis corderos'. Le volvió a decir por segunda vez: 'Simón, hijo de Juan, ¿me amas?' Él le respondió: 'Sí, Señor, sabes que te quiero'. Jesús le dijo: 'Apacienta mis ovejas'. Le preguntó por tercera vez: 'Simón, hijo de Juan, ¿me quieres?' Pedro se entristeció de que por tercera vez le preguntara si lo quería, y le dijo: 'Señor, tú lo sabes todo; sabes que te quiero'. Jesús le dijo: 'Apacienta mis ovejas'" (Jn 21,15-17).

SAN JUDAS TADEO, concédeme la gracia de amar, servir, y difundir la doctrina de Jesucristo en mi hogar, en la sociedad y en todo lugar y respetar, amar y cuidar a mi Iglesia católica.

ORACIÓN: Señor Padre de Jesús, en nombre de tu Hijo Jesucristo que nació, vivió, murió y resucitó y está contigo por toda la eternidad y por intercesión de san Judas Tadeo, concédeme el don de amar a mi Iglesia católica que me dio el don del bautismo y me trasmite tu gracia a través de los sacramentos. Te agradezco el don de la vida, la fe, la fraternidad y la participación en una comunidad parroquial. Hoy, por intercesión de san Judas Tadeo, te pido me concedas la gracia (se expresa). Amén. Gloria a Dios.

CORONILLA: Señor, por intercesión de san Judas Tadeo, protege a nuestro santo Padre el Papa (NN) y a nuestro señor obispo (NN) (diez veces), o:
CORONILLA: Con tu bendición Señor Dios, la intercesión de san Judas Tadeo y mi esfuerzo nunca me faltará trabajo, casa, vestido y sustento (diez veces).

COMPROMISO: Lo que exija a mi familia, primero me lo exigiré yo.

Padre nuestro. Ave María. Gloria al Padre.

DÍA 6

En el nombre + del Padre, + del Hijo y del + Espíritu Santo. Amén.

Apóstol san Judas Tadeo, con la confianza que tengo en tu intercesión ante mi Padre Celestial, te pido la gracia de saber alejarme del pecado, hacer el esfuerzo por encontrar el camino de la felicidad en este momento difícil y desesperado de mi vida, para que contigo y tu primo Jesús goce de la felicidad de Dios, la comparta en la sociedad y después la disfrutemos eternamente.

REFLEXIONA: "Mira las aves del cielo no siembran, ni siegan, ni recogen en graneros, y su Padre celestial las alimenta. Miren cómo los lirios del campo no trabajan ni hilan, sin embargo, yo les digo que ni Salomón en toda su gloria se vistió como uno de ellos. Y si Dios viste así la hierba del campo, que hoy está y mañana es echada al horno, no hará mucho más por ustedes, ¿hombres de poca fe?" (Mt 6, 26-30).

SAN JUDAS TADEO, enséñame a confiar más en la Providencia divina, yo me esforzaré con perseverancia y creatividad para tener y conservar un trabajo digno para llevar el alimento a mi familia.

ORACIÓN: Dios, Padre Creador de cielo y tierra, que me has enviado a esta sociedad con muchas cualidades para construir mi vida, administrarla y ser feliz, concédeme que estos dones los trabaje y produzcan "otros diez", necesarios para vivir, bien y decentemente. Esta gracia te la pido por intercesión de san Judas Tadeo, además te pido esta gracia (se expresa). Amén. Gloria a Dios.

CORONILLA: Señor Dios, por intercesión de san Judas Tadeo, concédeme la gracia de la perseverancia en el bien (diez veces), o:
CORONILLA: Con tu bendición Señor Dios, la intercesión de san Judas Tadeo y mi esfuerzo nunca me faltará trabajo, casa, vestido y sustento (diez veces).

COMPROMISO: Tendré una respuesta de serenidad, reflexión, amor, comprensión y paciencia en todo momento difícil de mi vida.

Padre nuestro. Ave María. Gloria al Padre.

DÍA 7

En el nombre + del Padre, + del Hijo y del + Espíritu Santo. Amén.

Apóstol san Judas Tadeo, con la confianza que tengo en tu intercesión ante mi Padre Celestial, te pido la gracia de saber alejarme del pecado, hacer el esfuerzo por encontrar el camino de la felicidad en este momento difícil y desesperado de mi vida, para que contigo y tu primo Jesús goce de la felicidad de Dios, la comparta en la sociedad y después la disfrutemos eternamente.

REFLEXIONA: "Jesús crecía en el saber, en estatura y en gracia delante de Dios y de los hombres" (Lc 2,52).

SAN JUDAS TADEO, acompaña a mi familia para que cada uno crezca en saber, estatura y gracia delante de Dios y de los hombres.

ORACIÓN: Señor Dios, es difícil creer en ti, más ahora cuando muchos en la sociedad intentan excluirte o desacreditarte. A ellos, Señor, perdónalos porque no saben lo que hacen y a mí concédeme la gracia de no permitir que mi fe se debilite frente a esta confusión de verdades que son mentiras, o ante mentiras que intentan pasar como verdades. Comunícame Señor Dios tu Verdad que salva, orienta y santifica para que mi vida tenga sólo en ti la seguridad que da felicidad. Te lo pido por tu Hijo y por la intercesión de san Judas Tadeo. Además hoy te pido esta gracia (se expresa). Amén. Gloria a Dios.

CORONILLA: Señor, por intercesión de san Judas Tadeo, que mi familia crezca en santidad delante de Dios y de los hombres (diez veces), o:
CORONILLA: Con tu bendición Señor Dios, la intercesión de san Judas Tadeo y mi esfuerzo nunca me faltará trabajo, casa, vestido y sustento (diez veces).

COMPROMISO: Promoveré en mi familia la cultura de sabernos escuchar, respetar, comprender y perdonar.

Padre nuestro. Ave María. Gloria al Padre.

DÍA 8

En el nombre + del Padre, + del Hijo y del + Espíritu Santo. Amén.

Apóstol san Judas Tadeo, con la confianza que tengo en tu intercesión ante mi Padre Celestial, te pido la gracia de saber alejarme del pecado, hacer el esfuerzo por encontrar el camino de la felicidad en este momento difícil y desesperado de mi vida, para que contigo y tu primo Jesús goce de la felicidad de Dios, la comparta en la sociedad y después la difrutemos eternamente.

REFLEXIONA: "No pudo hacer en su tierra ningún milagro, sólo curó algunos enfermos imponiéndoles las manos. Y se extrañó de su falta de fe. Después recorría los pueblos vecinos enseñando" (Mc 6, 5-6).

SAN JUDAS TADEO, ayúdame a creer en Jesús, en su Palabra, en su presencia Eucarística, en las buenas y en las malas, en la salud y en la enfermedad, cualquiera sea la respuesta a mis problemas. Señor, cumpliré siempre tu voluntad pues sé que quieres mi bien y mi felicidad.

ORACIÓN: Dios Padre de amor, Juan Bautista dijo que el Mesías está entre nosotros, dame la gracia de reconocerlo no sólo en la Eucaristía, en su Palabra y en mis hermanos, sino también en los momentos difíciles y desesperados, dame la gracia de saber captar tu mensaje también en los momentos cuando creo que no vale la pena vivir, cuando el desaliento me acompaña, cuando pienso que todos me abandonan o no me quieren, cuando creo que tú estás lejos. Este favor te lo pido por intercesión de san Judas Tadeo. Hoy te presento esta petición más urgente (se expresa). Amén. Gloria a Dios.

CORONILLA: Señor, por intercesión de san Judas Tadeo, que mi alimento sea cumplir tu voluntad, así en la tierra como en el cielo (diez veces), o:
CORONILLA: Con tu bendición Señor Dios, la intercesión de san Judas Tadeo y mi esfuerzo nunca me faltará trabajo, casa, vestido y sustento (diez veces).

COMPROMISO: Le pediré a Dios por intercesión de san Judas Tadeo por mi problema difícil, sin olvidar que debo buscar primero el reino de Dios y su justicia y todo lo demás se me dará por añadidura.

Padre nuestro. Ave María. Gloria al Padre.

DÍA 9

En el nombre + del Padre, + del Hijo y del + Espíritu Santo. Amén.

Apóstol san Judas Tadeo, con la confianza que tengo en tu intercesión ante mi Padre Celestial, te pido la gracia de saber alejarme del pecado, hacer el esfuerzo por encontrar el camino de la felicidad en este momento difícil y desesperado de mi vida, para que contigo y tu primo Jesús goce de la felicidad de Dios, la comparta en la sociedad y después la disfrutemos eternamente.

REFLEXIONA: "Porque el que se engrandece a sí mismo, será humillado; y el que se humilla, será engrandecido" (Lc 14,11).

SAN JUDAS TADEO, recuérdame siempre que la sencillez es el camino de la santidad.

ORACIÓN: Señor Dios, dame la gracia de la sencillez, para que me reveles tu reino pues has dicho, yo te bendigo Padre, Señor del cielo y la tierra, porque has escondido estas cosas a los sabios y entendidos y las das a conocer a la gente sencilla. Te pido esta gracia por intercesión de tu Hijo Jesucristo y de san Judas Tadeo a quien venero y admiro. Hoy en especial te pido esa gracia también urgente (se expresa). Amén. Gloria a Dios.

CORONILLA: Señor, por intercesión de san Judas Tadeo, amaré a Dios y a mi prójimo como a mí mismo (diez veces), o:
CORONILLA: Con tu bendición Señor Dios, la intercesión de san Judas Tadeo y mi esfuerzo nunca me faltará trabajo, casa, vestido y sustento (diez veces).

COMPROMISO: Sintonizaré mi voluntad con la voluntad de Dios que es amor y misericordia.

Padre nuestro. Ave María. Gloria al Padre.

DÍA 10

En el nombre + del Padre, + del Hijo y del + Espíritu Santo. Amén.

Apóstol san Judas Tadeo, con la confianza que tengo en tu intercesión ante mi Padre Celestial, te pido la gracia de saber alejarme del pecado, hacer el esfuerzo por encontrar el camino de la felicidad en este momento difícil y desesperado de mi vida, para que contigo y tu primo Jesús goce de la felicidad de Dios, la comparta en la sociedad y después la disfrutemos eternamente.

REFLEXIONA: "Judas Iscariote, ¿con un beso entregas al Hijo del hombre?" (Lc 22, 48).

SAN JUDAS TADEO, por tu intercesión, dame la gracia de la fidelidad evitando los autoengaños en mi vida. Nunca permitas que por dinero mal habido destruya la vida de mis hermanos. Concédeme que llegue el dinero a mi bolsa, pero que sea fruto de un trabajo honesto.

ORACIÓN: Señor Dios fiel, concédeme el don de la fidelidad ante mi vida, mi familia, mi bautismo, mi trabajo y la eternidad, para que el fruto de mi trabajo sea remunerado económicamente dentro de la honestidad y sea la felicidad la que me acompañe y no el remordimiento, la angustia, la vergüenza, la división y el desprestigio por dinero mal habido. Te pido la gracia de la fidelidad y responsabilidad ante el dinero por tu Hijo Jesucristo y san Judas Tadeo a quien venero y agradezco su intercesión y le pido el bienestar espiritual y económico. Además hoy le pido esta gracia que necesito (se expresa). Amén. Gloria a Dios.

CORONILLA: Señor, por intercesión de san Judas Tadeo, te pido mi bienestar espiritual y económico (diez veces), o:
CORONILLA: Con tu bendición Señor Dios, la intercesión de san Judas Tadeo y mi esfuerzo nunca me faltará trabajo, casa, vestido y sustento (diez veces).

COMPROMISO: Seré significativamente cristiano para ofrecer el Evangelio a la sociedad como la única alternativa de felicidad.

Padre nuestro. Ave María. Gloria al Padre.

DÍA 11

En el nombre + del Padre, + del Hijo y del + Espíritu Santo. Amén.

Apóstol san Judas Tadeo, con la confianza que tengo en tu intercesión ante mi Padre Celestial, te pido la gracia de saber alejarme del pecado, hacer el esfuerzo por encontrar el camino de la felicidad en este momento difícil y desesperado de mi vida, para que contigo y tu primo Jesús goce de la felicidad de Dios, la comparta en la sociedad y después la disfrutemos eternamente.

REFLEXIONA: "Entró para quedarse con ellos; y, mientras estaba a la mesa, tomó el pan, lo bendijo, lo partió y se lo dio. Entonces se les abrieron los ojos y lo reconocieron. Pero él desapareció de su vista. Se dijeron uno al otro: '¿No sentíamos arder nuestro corazón mientras nos hablaba por el camino y nos explicaba la Escritura?'" (Lc 24, 29-32).

SAN JUDAS TADEO, que yo me fascine por la Palabra de Jesús, lo descubra en la Misa para que arda mi corazón y comparta mi fe y alegría con mi familia y mi comunidad parroquial.

ORACIÓN: Señor Dios, nunca permitas que los problemas de la vida, por más fuertes que sean me desalienten como a los discípulos de tu Hijo que iban de regreso a su hogar de Emaús, dejándolo todo. Te pido, por intercesión de tu Hijo Jesucristo y de san Judas Tadeo, mi amado protector, me concedas fortaleza en las dificultades, fuerza de voluntad y perseverancia hasta encontrar, con tu ayuda, el camino de mi felicidad humana y divina en tu Palabra y en la Eucaristía. Hoy aprovecho para pedirte esta gracia (se expresa). Amén. Gloria a Dios.

CORONILLA: Señor, por intercesión de san Judas, que nunca sea sordo a tu voz (diez veces), o:
CORONILLA: Con tu bendición Señor Dios, la intercesión de san Judas Tadeo y mi esfuerzo nunca me faltará trabajo, casa, vestido y sustento (diez veces).

COMPROMISO: Me confesaré, participaré en la Misa, meditaré la Palabra de Dios con frecuencia, tendré momentos de oración y así encontraré el sentido cristiano de mi vida.

Padre nuestro. Ave María. Gloria al Padre.

DÍA 12

En el nombre + del Padre, + del Hijo y del + Espíritu Santo. Amén.

Apóstol san Judas Tadeo, con la confianza que tengo en tu intercesión ante mi Padre Celestial, te pido la gracia de saber alejarme del pecado, hacer el esfuerzo por encontrar el camino de la felicidad en este momento difícil y desesperado de mi vida, para que contigo y tu primo Jesús goce de la felicidad de Dios, la comparta en la sociedad y después la disfrutemos eternamente.

REFLEXIONA: "Reciban el Espíritu Santo, a quienes les perdonen los pecados les quedarán perdonados; a quienes se los retengan les quedarán retenidos" (Jn 20, 23).

SAN JUDAS TADEO, concédeme el don del sacramento de la reconciliación para que Dios, a través del ministerio de la Iglesia, me diga, "tus pecados quedan perdonados, vete en paz y no peques más".

ORACIÓN: Señor Dios, la sociedad merece mi presencia cristiana, sencilla, armoniosa, lléname de esa paz que sólo la puedo trasmitir si poseo en mi interior tu presencia. Dóname tu presencia a través del sacramento de la reconciliación, te pido esta gracia por intercesión de tu Hijo amado en quien te complaces y san Judas Tadeo, el apóstol a quien tú elegiste para que me acompañe en los momentos difíciles de la vida. Aprovechando esta oportunidad, te pido también la siguiente gracia (se expresa). Amén. Gloria a Dios.

CORONILLA: Señor, por intercesión de san Judas Tadeo, haz mi corazón semejante al tuyo (diez veces), o:
CORONILLA: Con tu bendición Señor Dios, la intercesión de san Judas Tadeo y mi esfuerzo nunca me faltará trabajo, casa, vestido y sustento (diez veces).

COMPROMISO: Me acercaré con frecuencia al sacramento de la reconciliación, sin temor porque el sacerdote es presencia de la misericordia de Dios.

Padre nuestro. Ave María. Gloria al Padre.

DÍA 13

En el nombre + del Padre, + del Hijo y del + Espíritu Santo. Amén.

Apóstol san Judas Tadeo, con la confianza que tengo en tu intercesión ante mi Padre Celestial, te pido la gracia de saber alejarme del pecado, hacer el esfuerzo por encontrar el camino de la felicidad en este momento difícil y desesperado de mi vida, para que contigo y tu primo Jesús goce de la felicidad de Dios, la comparta en la sociedad y después la disfrutemos eternamente.

REFLEXIONA: "Por eso, ahora les aconsejo que no se metan con esos hombres, sino que los dejen en paz, porque si esta idea o esta obra que ellos intentan hacer fuera cosa de hombres, fracasará; pero si es cosa de Dios, no podrán destruirlos y estarían luchando contra Dios" (Hch 5, 38-39).

SAN JUDAS TADEO, quiero ser el Gamaliel de hoy, oponerme con decisión a quienes intentan destruir la Iglesia católica, para decirles con toda claridad, están luchando contra Dios.

ORACIÓN: Señor Dios, es difícil ser católico hoy, parece que volvemos a los primeros tiempos de tu Iglesia, las persecuciones arrecian en muchas partes del mundo, en nuestra Patria. Señor, ¿por qué los comentarios negativos son sólo para la Iglesia católica?, ¿por qué hay católicos que cuando les preguntan si son creyentes o católicos responden que sí lo son, porque fue su familia quien los bautizó? Señor, ¿por qué esta negación?, ¿hoy se debe tener vergüenza de ti? Señor tampoco permitas que yo sea el Pedro que en su momento negó a su maestro, sino ser el Gamaliel de hoy que defiende tu Iglesia. Concédeme la gracia, por intercesión de san Judas Tadeo, de ser fiel a mi bautismo, a mi Iglesia católica y mi hogar guadalupano. Aprovechando este momento de oración, te pido me concedas la siguiente gracia (se expresa). Amén. Gloria a Dios.

CORONILLA: Señor, por intercesión de san Judas Tadeo, enséñame el camino de la santidad (diez veces), o:
CORONILLA: Con tu bendición Señor Dios, la intercesión de san Judas Tadeo y mi esfuerzo nunca me faltará trabajo, casa, vestido y sustento (diez veces).

COMPROMISO: Daré siempre testimonio cristiano y será la máxima prueba de que mi vida la conduzco desde la vivencia del Evangelio.

Padre nuestro. Ave María. Gloria al Padre.

DÍA 14

En el nombre + del Padre, + del Hijo y del + Espíritu Santo. Amén.

Apóstol san Judas Tadeo, con la confianza que tengo en tu intercesión ante mi Padre Celestial, te pido la gracia de saber alejarme del pecado, hacer el esfuerzo por encontrar el camino de la felicidad en este momento difícil y desesperado de mi vida, para que contigo y tu primo Jesús goce de la felicidad de Dios, la comparta en la sociedad y después la disfrutemos eternamente.

REFLEXIONA: "Me ha sido dado todo poder en el cielo y en la tierra. Vayan, pues, y enseñen a todas las naciones, bautizándolas en el nombre del Padre y del Hijo y del Espíritu Santo, y enseñándolas a cumplir todo cuanto yo les he mandado; y sepan que yo estaré con ustedes todos los días, hasta el fin del mundo" (Mt 28, 18-20).

SAN JUDAS TADEO, el Señor me envía como a ti a comunicar lo que he oído, visto, contemplado y tocado en la Palabra de Dios. Lo anuncio para que todos tengamos comunión.

ORACIÓN: Señor Dios Padre, con frecuencia la vida se vuelve difícil porque no escucho tu Palabra, mi bautismo está guardado y mi santidad se detuvo en la primera comunión. Reconozco que tal vez por eso estoy pagando las consecuencias del estrés llegando a vivir un caso difícil y desesperado que en este momento me preocupa. Señor, por intercesión de san Judas Tadeo, dame el don de conocer y gozar tu Palabra, vivir mi bautismo como riqueza de conversión y gracia, gustar las cosas santas y orientarlo todo para el bien de mi vida. Hoy Señor aprovecho este momento de oración para pedirte, por intercesión de san Judas Tadeo, lo siguiente (se expresa). Amén. Gloria a Dios.

CORONILLA: Señor, por intercesión de san Judas, dame la gracia del Espíritu Santo para dejar el pecado y aceptar tu gracia (diez veces), o:
CORONILLA: Con tu bendición Señor Dios, la intercesión de san Judas Tadeo y mi esfuerzo nunca me faltará trabajo, casa, vestido y sustento (diez veces).

COMPROMISO: Me acercaré a mi párroco para colaborar en la difusión del Evangelio, como san Judas Tadeo.

Padre nuestro. Ave María. Gloria al Padre.

DÍA 15

En el nombre + del Padre, + del Hijo y del + Espíritu Santo. Amén.

Apóstol san Judas Tadeo, con la confianza que tengo en tu intercesión ante mi Padre Celestial, te pido la gracia de saber alejarme del pecado, hacer el esfuerzo por encontrar el camino de la felicidad en este momento difícil y desesperado de mi vida, para que contigo y tu primo Jesús goce de la felicidad de Dios, la comparta en la sociedad y después la disfrutemos eternamente.

REFLEXIONA: "Cuando la gente vio que la comida se había multiplicado, dijeron: 'De veras este es el profeta que había de venir al mundo'. Querían tomar a Jesús y hacerle rey pero él lo sabía y se apartó y subió al cerro para estar a solas.

Al siguiente día la gente encontró a Jesús. Él les dijo: 'Ustedes me buscan porque comieron pan y se llenaron y no porque hayan entendido las señales milagrosas. No trabajen por la comida que se acaba, sino por la comida que permanece y que les da vida eterna. Esta es la comida que les dará el Hijo del hombre, porque Dios, el Padre, ha puesto su sello en él'. Preguntaron a Jesús lo que él quería que hicieran. Él respondió: 'Lo que Dios quiere que hagan es que crean en aquel que Él ha enviado'" (Jn 6, 15. 26-29).

SAN JUDAS TADEO, te agradezco que me regañes si te busco sólo por el interés para pedirte que me des dinero o sólo el pan material. Jesús regañó a quienes tenían estas actitudes materiales. Yo quiero buscar a Cristo y seguirlo.

ORACIÓN: Señor Dios Padre te pido que mi devoción a san Judas Tadeo sea un camino de santidad y no sólo para salir de mis problemas difíciles y desesperados; concédeme la gracia de orientar mi vida con los principios del Evangelio y recibiendo la Comunión del Cuerpo de Cristo, después de una confesión, dé testimonio del camino hacia tu Reino. Te pido esta gracia por intercesión de san Judas Tadeo. Y para aprovechar este momento, te pido el siguiente favor (se expresa). Amén. Gloria a Dios.

CORONILLA: Señor Dios, por intercesión de san Judas Tadeo, dame la gracia de contemplarte y amarte por toda la eternidad (diez veces), o:
CORONILLA: Con tu bendición Señor Dios, la intercesión de san Judas Tadeo y mi esfuerzo nunca me faltará trabajo, casa, vestido y sustento (diez veces).

COMPROMISO: Rezaré a san Judas Tadeo, primero para buscar el don de la santidad cristiana y luego pedirle la serenidad para orientar mi difícil problema que me está llevando a la desesperación.

Padre nuestro. Ave María. Gloria al Padre.

TERCERA PARTE

ORACIONES A DIOS PADRE, POR INTERCESIÓN DE SAN JUDAS TADEO

Oración a san Judas Tadeo para encontrar trabajo

Dios todopoderoso y eterno, que al inicio de la humanidad dijiste: "crezcan y multiplíquense", y nos diste como alimento los peces del mar, las aves del cielo y las hierbas del campo y después tu Hijo predicó diciéndonos: "hombres de poca fe, por qué se preocupan del comer y del vestir si su Padre Celestial sabe lo que les hace falta, y se preocupa por ustedes", y nos pusiste como ejemplo a las aves del cielo que no siembran ni cosechan y ninguna de ellas muere de hambre y dijiste que los lirios del campo se visten mejor que el rey Salomón, ábreme los caminos, por intercesión de san Judas Tadeo, para que pronto encuentre un buen trabajo, digno y estable que sea capaz de satisfacer las necesidades básicas de mi familia. Con tu ayuda, Señor, la de san Judas Tadeo, con mi esfuerzo y cualidades sé que pronto encontraré el trabajo que necesito.

Lléname de tu gracia, tu paz y del espíritu de oración y con la confianza en la intercesión de san Judas Tadeo sabré aprovechar toda oportunidad de trabajo que coloques en mi camino. Amén.

Sacramento de la reconciliación

La reconciliación es el sacramento en el cual el Padre celestial, y por los méritos de Jesucristo, acoge al hijo que vuelve arrepentido por haberse alejado de la felicidad. Borra los pecados de la vida pasada y es, además, el principal medio para evitar las caídas y corregir nuestros defectos. Esto evita llegar a un callejón sin salida.

Conviene celebrar frecuentemente el sacramento de la reconciliación. Es aconsejable que se frecuente el mismo confesor y no se cambie sin necesidad particular.

Las condiciones para hacer una buena celebración, son:

1. Examen de conciencia, consiste en recordar las faltas cometidas después de la última confesión.

2. Arrepentimiento, es parte esencial de la confesión. Consiste en el arrepentimiento interior, sincero por haber ofendido a tus hermanos y en ellos a Dios.

3. Propósito, es el compromiso sincero de alejarte del pecado y de las personas que te inducen al mal.

4. Confesión, acércate al sacramento de la reconciliación, el sacerdote es sólo la presencia de la misericordia de Dios que recibe la confesión de tus pecados.

5. Satisfacción, es la penitencia sencilla que el sacerdote te pide realizar.

Antes de la confesión

Reza un Padre nuestro y un Ave María para entrar en un ambiente de reflexión y descubrir tus pecados, arrepentirte de ellos y confesarlos sinceramente.

Examen de conciencia: lo puedes hacer de tres maneras, escoge una.

Primera propuesta para tu confesión

Los mandamientos

- En el primer mandamiento, dile a Dios: libérame de la idolatría porque me quita la libertad.
- El segundo mandamiento, dile a Dios: hazme responsable de mis acciones para no respaldarme en tu nombre y así lograr que me crean.
- En el tercer mandamiento, dile a Dios: descansaré el domingo y participaré en la misa de mi comunidad porque forma parte de mi ADN cristiano. Sin comunidad no hay cristianismo.
- En el cuarto mandamiento, dile a Dios: trataré con dignidad a las personas, en especial a mis padres que me amaron y cuidaron.
- En el quinto mandamiento, dile a Dios: sé que el valor del cristianismo es la vida y no tiene negociaciones de ninguna especie.
- En el sexto mandamiento, dile a Dios: mi hermano y yo somos imagen tuya, merecemos veneración y respeto. Me construiré desde una vida sexual sana y cuidaré de mi relación conyugal.
- En el séptimo mandamiento, dile a Dios: respetaré lo que mi hermano tiene para realizarse humana y socialmente, incluyendo sus pertenencias.
- En el octavo mandamiento, dile a Dios: soy responsable de mis palabras, siempre son positivas respecto a mis hermanos y mis palabras son incluyentes, respetuosas y cristianas.
- En el noveno mandamiento, dile a Dios: tengo mi corazón en su lugar porque deseo siempre el bien, mi riqueza sexual es equilibrada y normal, me conduzco desde mi responsabilidad cristiana.

- En el décimo mandamiento, dile a Dios: tengo lo que necesito para vivir y respeto lo que a mi hermano le sirve para vivir y realizarse.

Mandamientos de la ley de Dios

1) Amar a Dios sobre todas las cosas. *2)* No jurar en nombre de Dios. *3)* Guardar domingos y fiestas. *4)* Honrar a tu padre y madre. *5)* No matar. *6)* No pecar contra la castidad (fidelidad). *7)* No robar. *8)* No levantar falso testimonio. *9)* No desear la mujer del prójimo. *10)* No envidiar las cosas ajenas.

Mandamientos de la Iglesia

1) Participar de la Misa los domingos y fiestas de guardar. *2)* Confesarse por lo menos una vez al año. *3)* Comulgar al menos en el Domingo de Resurrección. *4)* Ayudar conforme lo manda la Iglesia. *5)* Colaborar con la Iglesia en sus necesidades.

Sacramentos

1) Bautismo: es el nacimiento del cristiano para la vida en Cristo. *2)* Confirmación: es el sacramento del cristiano que está poco a poco madurando en su fe. *3)* Eucaristía: es Dios mismo que bajo la especie de pan se entrega. *4)* Penitencia o confesión: es la señal visible del perdón de Dios, fruto de su amor por la humanidad. *5)* Unción de los enfermos: es el sacramento que ayuda al enfermo y sus familiares a descubrir la paz. *6)* Orden sacerdotal: es el sacramento con el que Dios consagra a un bautizado para servir exclusivamente a la comunidad como presbítero de la Iglesia. *7)* Matrimonio: es el sacramento del amor, siendo que Dios se hace presente en el amor de los casados.

Misterios principales de la fe

1) Unidad y Trinidad de Dios. *2)* Encarnación, pasión, muerte y resurrección de nuestro Señor Jesucristo.

Mandamientos de la caridad

1) Amar al Señor tu Dios con todo tu corazón, toda tu alma y toda tu mente. *2)* Amar a tu prójimo como tú mismo te amas.

Dones del Espíritu Santo

1) Sabiduría. *2)* Entendimiento. *3)* Consejo. *4)* Fortaleza. *5)* Ciencia. *6)* Piedad. *7)* Temor de Dios.

Virtudes teologales

1) Fe. *2)* Esperanza. *3)* Caridad.

Virtudes cardinales

1) Prudencia. *2)* Justicia. *3)* Fortaleza. *4)* Templanza.

Obras de misericordia

1) Dar de comer al hambriento. *2)* Dar de beber al sediento. *3)* Vestir al desnudo. *4)* Dar posada al peregrino.

5) Visitar a los enfermos o encarcelados. *6)* Redimir a los cautivos. *7)* Enterrar a los muertos.

Obras de misericordia espiritual

1) Dar buen consejo. *2)* Instruir a quien lo necesite. *3)* Corregir a quien se equivoca. *4)* Consolar a los afligidos. *5)* Perdonar las ofensas. *6)* Soportar pacientemente las debilidades del prójimo. *7)* Rogar a Dios por los vivos y difuntos.

Vicios capitales

Soberbia. Avaricia. Lujuria. Ira. Gula. Envidia. Pereza.

Segunda propuesta para tu confesión

Reflexiona cómo tratas a Dios, a tus hermanos y a ti mismo. Inicia con Dios, ¿le amas?, ¿le das el culto dominical que te pide la Iglesia?, ¿oras?, ¿tienes la cultura de Dios, de su amor, de su perdón? Acerca de tu hermano: reflexiona todo aquello que maltrata a tu hermano, su fama, sus gestos, sus palabras, sus responsabilidades, sus preferencias, ¿lo devalúas? Y luego, finalmente, sobre ti mismo, ¿en qué situaciones te maltratas?, ¿te amas, te aceptas como eres?, ¿cómo construyes tu vida?, ¿estás caminando hacia el reino de Dios?, ¿faltarás en el reino de Dios?

Tercera propuesta para tu confesión

Ten en cuenta las actitudes. ¿Qué actitudes tienes que te dañen? Cuando un hecho es aislado, pero sencillo, ¿te estresas y ofendes a tus hermanos? ¿Cómo es tu participación a la Misa?, ¿comulgas sólo porque tienes ganas de hacerlo sin confesarte? El Papa dice que aun las pequeñas faltas se pueden confesar para que no te acostumbres al pecado. Como padre o madre de familia, ¿te admiran tus hijos, tus nietos, tus sobrinos?, ¿pudieran decir, quiero ser como mi padre, como mi madre, como mi abuelo, abuela, tío, tía?

Rito de la Reconciliación

El sacerdote te acoge con bondad porque hace presente la misericordia de Dios, te saluda con una palabra de afecto. Luego, haces la señal de la cruz diciendo: En el nombre del Padre y del Hijo y del Espíritu Santo. Amén.

- *Acogida del penitente:* El sacerdote te invita a poner tu confianza en Dios con estas palabras u otras parecidas: "Hermano: acércate confiadamente al Señor, quien no se complace en la muerte del pecador, sino que se convierta y viva" (Ez 33, 11).

- *Confesión de los pecados y aceptación de la satisfacción:* Confiesa tus pecados. El sacerdote te exhorta a la conversión, tú lo escuchas aceptando la penitencia para satisfacción de tus pecados.

- *Acto de contrición:* Dios mío, me pesa y me arrepiento de todo corazón de mis pecados, porque al pecar me alejé de tu amor y felicidad, de la comunión con mis hermanos y mi comunidad. Con tu ayuda propongo no ofenderlos más, huir de las ocasiones de prepotencia o soberbia que me inducen a la división personal, familiar y social. Señor pido perdón a todos los que ofendí. Amén.

Puedes decir el "Yo confieso ante Dios todopoderoso y ante ustedes, hermanos, que he pecado mucho de pensamiento, palabra, obra y omisión. Por mi culpa, por mi culpa, por mi gran culpa. Por eso ruego a santa María, siempre Virgen, a los ángeles, a los santos y a ustedes, hermanos, que intercedan por mí ante Dios nuestro Señor".

Absolución. El sacerdote te impone las manos:

Dios, Padre misericordioso,
que reconcilió consigo al mundo
por la muerte y resurrección de su Hijo
y derramó al Espíritu Santo
para la remisión de los pecados,
te conceda, por el ministerio de la Iglesia
el perdón y la paz.
Y YO TE ABSUELVO DE TUS PECADOS EN EL NOMBRE + DEL PADRE, Y DEL HIJO + Y + DEL ESPÍRITU SANTO.
La pasión de nuestro Señor Jesucristo, la intercesión de la Virgen María y de todos los santos; tus obras buenas y tu paciencia en las adversidades, te sirvan como remedio para tus pecados, aumento de gracia y premio de vida eterna.
R. Amén.

Acción de gracias
Cuán bueno eres conmigo, Señor, pues siempre eres felicidad, bondad y amor. Soy yo quien con mis actitudes maltrato tu amor en mis hermanos, prometo, con la ayuda de tu gracia, responderte con amor y buenas obras a tu amor. Virgen María, alcánzame la perseverancia en el propósito de vivir en continua conversión alejándome de toda contaminación. Amén.

Al ingresar a la iglesia de san Judas Tadeo o al visitarlo en tu parroquia
(No olvides saludar primero a Jesús Sacramentado).

Oración del Credo

Recita con frecuencia el Credo, reflexionando los principios de la Fe Católica.

Creo en un solo Dios, Padre todopoderoso, Creador del cielo y de la tierra, de todo lo visible y lo invisible. Creo en un solo Señor, Jesucristo, Hijo único de Dios, nacido del Padre antes de todos los siglos: Dios de Dios, Luz de Luz, Dios verdadero de Dios verdadero, engendrado, no creado, de la misma naturaleza del Padre, por quien todo fue hecho; que por nosotros, los hombres, y por nuestra salvación bajó del cielo, y por obra del Espíritu Santo se encarnó de María, la Virgen, y se hizo hombre; y por nuestra causa fue crucificado en tiempos de Poncio Pilato; padeció y fue sepultado, y resucitó al tercer día, según las Escrituras, y subió al cielo, y está sentado a la derecha del Padre; y de nuevo vendrá con gloria para juzgar a vivos y muertos, y su reino no tendrá fin. Creo en el Espíritu Santo, Señor y dador de vida, que procede del Padre y del Hijo, que con el Padre y el Hijo recibe una misma adoración y gloria, y que habló por los profetas. Creo en la Iglesia, que es una, santa, católica y apostólica. Confieso que hay un solo Bautismo para el perdón de los pecados. Espero la resurrección de los muertos y la vida del mundo futuro. Amén.

Oración a san Judas Tadeo para reforzar mi felicidad

Dios Padre, Señor Jesús, el amor a mi familia es grande, es un don maravilloso que amo y gozo. Maltratar este don sería destruir tu amor, mi felicidad y la de mi familia; por eso Señor Dios, por intercesión de san Judas Tadeo, te pido la gracia de estar siempre atento para amar y donarme más a mi familia; que mi cariño y entrega sea fuerte e incondicional; no permitas que mi amor lo entregue a quien no debería; que nunca entre el egoísmo en mi corazón o en mis ideas. Que mis resentimientos, odios o sospechas jamás maltraten el don de la felicidad porque todos somos hijos de Dios. San Judas Tadeo hazte siempre presente en mi vida. Amén.

Oración a san Judas Tadeo para obtener mi salud

Padre y Señor, creador y renovador de todas las cosas, vida plena de amor. Te adoro, te doy gracias por el don de la vida y te amo en unión con tu Hijo Jesucristo que sólo quiere para mí la felicidad.

Tú que das la vida y vivificas todo el universo, por intercesión de tu Hijo Jesús, y de san Judas Tadeo, consérvame en buena salud; líbrame de todas las enfermedades que la amenazan y de todos los males que la acosan. Con la ayuda de tu gracia, y la intercesión de san Judas Tadeo, prometo estar atento a desechar todo aquello que pueda dañar mi salud material y espiritual, que nunca abuse de mis fuerzas, del cansancio y aproveche siempre los momentos de reposo. Prometo usar siempre mis fuerzas para gloria tuya, para mi propio bien y para el servicio de mis hermanos. San Judas Tadeo, acompáñame en el caminar de mi vida. Amén.

Oración a san Judas Tadeo en los momentos de enfermedad

Señor Jesucristo, que para redimir a los hombres y sanar a los enfermos quisiste asumir nuestra condición humana, mírame postrado por esta enfermedad, no permitas que el espíritu de Satanás se apodere de mí cayendo en la desesperación o crea que mi caso es el más difícil o imposible de curar. Señor Jesús, por los méritos de tu pasión, muerte y resurrección, por la intercesión de san Judas Tadeo, intercede ante tu Padre celestial para que yo pueda recibir el don de la salud y la gracia del sacramento de la reconciliación. Purifícame de todo pecado, líbrame de toda desesperación. Reconfórtame para que levante mi ánimo y pueda superar todo decaimiento y tristeza. Por los méritos de tu pasión, muerte y resurrección, por la intercesión de san Judas Tadeo dame la salud, mas no se haga mi voluntad sino la tuya. Amén.

Oración a san Judas Tadeo para curar mi interior

Señor Jesús, cuando el pecado llega a una persona, se instala y comienza hacer el mal. No permitas que el pecado produzca amargura, resentimientos, desgaste, opresión y llegue a la desesperación o depresión; dame la fuerza de decirle al mal, tú no tienes nada conmigo. Espíritu Santo fuente de luz, ilumíname y dame la fuerza de voluntad para que mis palabras sean la expresión de tu amor, por eso Señor Dios, te pido, por intercesión de san Judas Tadeo, cúrame, sáname, perdóname, libérame, de las malas decisiones que me hacen infeliz, de las palabras que destruyen tu presencia en mis hermanos, líbrame, Señor, de los vicios que acaban con mi vida, libérame, Señor. San Judas Tadeo está siempre cerca de mí para lograr mi paz interior. Amén.

Oración a san Judas Tadeo por el conductor

Dame, Señor, mano firme y ojo vigilante para que llegue sano y salvo a mi destino. Protege a quienes viajan conmigo; ayúdame a ser gentil con todos; dame la prudencia para no cometer excesos y haz que te vea en cada uno de mis hermanos transeúntes. Te pido esta gracia por intercesión de san Judas Tadeo, además de la serenidad, la prudencia al conducir y la paz en mi interior. Amén.

Oración a san Judas Tadeo para superar el pecado

Señor Dios creador y apasionado por la humanidad, por el amor que nos tienes, enviaste a tu Hijo, a quien sin importarle su condición divina se hizo hombre de forma apasionada por amor a la humanidad, vivió entre nosotros enseñándonos cómo vivir en tu gracia y caminar en la felicidad hacia tu reino; te pido, por la intercesión de tu Hijo y la de san Judas Tadeo, no permitas que mi naturaleza inclinada hacia el mal haga daño a algunos de mis hermanos, dame la fuerza de decisión al momento de la tentación o cuando esté a punto de aceptar una invitación al mal, saber decir no, porque denigra mi naturaleza de hijo y cristiano. Señor si en mi bautismo mis padres y padrinos en mi nombre renunciaron al mal, hoy con toda libertad también yo digo, renuncio a Satanás y a todas sus seducciones. Amén.

Oración a san Judas Tadeo ante la adversidad

Señor Dios Creador, nadie está exento de dificultades, ayúdame a orientarlas con la reflexión, el diálogo y la oración; dame la gracia de comprender que todos somos diferentes, aceptar las situaciones que no puedo cambiar, atender las que dependen de mí y tener paciencia a las dificultades que dependen de los demás. Señor Dios, sé siempre mi guía en el amor, y en el servicio a mis hermanos. Concédeme la gracia de tener paciencia ante la adversidad y encontrar el camino de la felicidad. Te pido esta gracia por la intercesión de tu Hijo Jesucristo y la de san Judas Tadeo. Amén.

Consagración a nuestro Señor Jesucristo

Agradezco Señor todas las bendiciones que en tu nombre me han beneficiado; decir gracias es muy sencillo, decir me comprometo a amarte en mis hermanos y hacer el bien es muy difícil. No obstante, Señor, confiando sólo en tu gracia unida a mis fuerzas, con la intercesión de san Judas Tadeo, a quien venero y agradezco su protección y las bendiciones que me ha alcanzado de mi Creador, hoy, teniendo como testigo a este apóstol, renuevo mi consagración bautismal, precioso regalo divino que me da la oportunidad de crecer en santidad, por eso:

Yo (NN), en honor de la Santísima Trinidad, y para la gloria de Dios y la salvación de mi vida, y teniendo como testigo a san Judas Tadeo, aquí en su iglesia, renuevo mi consagración bautismal ante Jesús Eucaristía y ante la Iglesia católica y declaro con toda libertad que creo en:

Dios Padre, en su Hijo Jesucristo y en el Espíritu Santo.

Creo en la Iglesia que es una santa católica y apostólica.

Creo en todos los dogmas de la Iglesia católica expresados en el Credo.

Creo en el Magisterio de la Iglesia, en el Papa y los Obispos.

Creo que mi bautismo es un don y un compromiso de santidad y es un proyecto de transformación de la sociedad. Amén.

Oración a san Judas Tadeo para renunciar al mal

Señor Jesús, el día de mi bautismo mis padres y padrinos, en mi nombre, renunciaron al mal. Ahora con la libertad y el amor que me otorga mi filiación divina y consciente de mis actos, y ante la imagen de san Judas Tadeo, yo (NN) declaro que:

- Rechazo toda actitud de envidia, mentira, celos, resentimientos, egoísmo, venganzas, calumnias, impaciencias, falta de perdón y toda ideología errónea que vaya contra el Evangelio de nuestro señor Jesucristo y la Iglesia católica.
- Rechazo todas las divisiones que se pudieron generar en mi interior por causa de mi soberbia y lejanía de Dios.
- Renuevo mi amor a Dios y a mis hermanos, el don del bautismo y mi confirmación, el don de mi familia. Renuevo mis compromisos que como bautizado tengo con la Iglesia católica, de alcanzar la santidad cristiana y declaro que Cristo y sus enseñanzas son la Verdad que me guía y me dan seguridad humana, cristiana y social. Pido al Espíritu Santo que renueve mi interior y me dé sus siete dones para que con el proyecto cristiano de las bienaventuranzas consiga la felicidad. Firmo este compromiso ante la imagen de mi amado apóstol san Judas Tadeo a quien le encomiendo mi vida y su intercesión ante el Padre Celestial. Amén.

Oración a san Judas Tadeo para saber perdonar

Señor Jesús, cuando rezo el Padre nuestro pronuncio siempre las palabras, "perdona mi ofensa como yo perdono a quien me ofende"; pero Señor, sabes que con frecuencia son palabras vacías porque el rencor, el resentimiento a las ofensas están en mi corazón y van al exterior como comentarios devaluados y dañinos, agresividad difamadora, señal que el perdón aún no llega a mi corazón cristiano no obstante tus indicaciones. Señor Dios Creador, mi Jesús y hermano salvador, san Judas Tadeo, primo y apóstol de Jesús, intercedan ante el Padre, para que me conceda la gracia de convertir el rencor en amor, de encontrar la oportunidad de manifestarle a quien me ofendió un corazón cristiano que camina hacia la santidad y la felicidad. Bendito y alabado seas Señor por mis hermanos diferentes, bendito y alabado seas san Judas Tadeo por tu intercesión y ayuda en los momentos difíciles de la vida, bendito y alabado seas Padre misericordioso por el don de saber perdonar. Amén.

Oración para perdonarme mis culpas

Señor Dios, cuando me recuerdo de mis faltas del pasado, por qué quiero mantenerlas vivas si tú Dios misericordioso ya me perdonaste, ya me dijiste a través del sacerdote tus pecados quedan perdonados. Es verdad, Señor, que una falta, y más si es grave, estará para siempre en mi conciencia, dame la gracia de decirle a mi corazón y a mi inteligencia, Dios te ha perdonado, perdónate tú también, ya no te maltrates, refuerza tu fe en Dios, cree que Él nunca anotó tus faltas, sólo te tuvo paciencia para que tú te perdonaras y regresaras a su felicidad y misericordia. En el nombre de Jesucristo que me ha perdonado me perdono mis pecados de soberbia. En el nombre de Jesucristo que me ha perdonado me perdono mis pecados de sensualidad. En el nombre de Jesucristo que me ha perdonado me perdono mis pecados de infidelidad. Bendito y alabado seas por el perdón que me das, por tu amor y tu misericordia. San Judas Tadeo, está siempre cerca de mí, en especial los días de borrasca y desesperación. Amén.

Oración a san Judas Tadeo para pedir la renovación de las actitudes cristianas

Señor Jesús, cuan difícil es ser cristiano en una época en donde cada persona se rige por sus principios y los convierte en dogmas, soy consciente que me creaste para amar y ser amado. He pecado contra ti tratando de cambiar este maravilloso objetivo y sigo dándole vida al pecado; sin embargo, tú, Dios misericordioso, no te resignas a que tus hijos quedemos en la desgracia, nos enviaste a tu Hijo para orientar a todo aquel que camina en tinieblas para que encuentre tu luz en las palabras de tu Hijo, nos diste a la Iglesia católica sacramento de tu presencia salvadora y pueblo de Dios; nos diste al apóstol san Judas Tadeo para acompañarnos en la vida e interceder por tus hijos en los momentos de pena y aflicción. San Judas Tadeo, dame a conocer el Evangelio de Jesús como lo hiciste en el Oriente, para que sea mi guía en esta sociedad que confunde la verdad con la mentira, alcánzame la gracia de ser un don para los demás, para que el mundo, "viendo mis buenas obras glorifiquen al Padre"; alcánzame la gracia de encontrar a Jesucristo, no sólo en mis hermanos, sino en la presencia eucarística que me transforma y me dona su amor, también san Judas Tadeo, te pido que junto con tu primo Jesucristo, me alcances de Dios Padre la capacidad de vivir en continua conversión y con estas actitudes cristianas, comparta la alegría que me da el ser hijo de Dios, muy amado en quien también se complace. Amén.

Oración a san Judas Tadeo para pedir trabajo para un amigo

San Judas Tadeo, hoy quiero dedicar unos instantes a orar por mis amigos, en especial te pido que intercedas ante Dios Padre por (NN), es una persona sencilla, amable, agradable; es un don no sólo para mí, sino para muchos; admiro su capacidad de cercanía humana, y cristiana, de escucha que da serenidad y seguridad; admiro las palabras que salen de su corazón con el único interés de colaborar a nuestro crecimiento deseando el triunfo de todos; pero san Judas Tadeo, no tiene trabajo, ayúdale, para que pronto lo encuentre y así pueda llevar el alimento a su familia. Donde quiera que se encuentre, acompáñalo como me acompañas a mí, siempre dale tu intercesión y amor para que pronto encuentre un trabajo estable. Amén.

Oración a san Judas Tadeo para pedir la armonía interior

Señor Dios Padre, tu misericordia y tu amor son eternos, tu paz es el don que la comunidad de los apóstoles recibieron cuando tu Hijo, después de su resurrección les dio este don antes de enviarlos a la misión, "mi paz les dejo mi paz les doy".

Dios Padre, armonía eterna, concédeme la gracia de la paz interior y el don de tu presencia por la intercesión de tu Hijo y la de san Judas Tadeo; también la valentía de compartir el amor cristiano con alegría y decisión a esta sociedad que busca a tu Hijo pero no lo encuentra o no lo quiere encontrar.

Concédeme el don de la alegría, la coherencia en mi vida cristiana y la fraternidad. Envíame Padre al Espíritu Santo para que construya en mí a esa nueva criatura en actitudes, sentimientos y decisiones; concédeme el don de tu presencia para que nunca llegue a momentos difíciles y extremos en la vida, y me convierta en un instrumento de tu paz y consuelo; que mi fe sea fuerte y segura como lo fue la fe de san Judas Tadeo, que mi esperanza y caridad se irradien por la sociedad a través de mi presencia y de mis palabras, como lo fue la presencia y las palabras de tu apóstol y primo san Judas Tadeo. Amén.

Oración a san Judas Tadeo para perdonar las ofensas

Señor Dios Padre y Misericordia, ¿por qué las ofensas recibidas las recuerdo con facilidad y regresan una y otra vez a mi mente y además les doy permiso de que me maltraten? La respuesta la tenemos tú y yo; más yo que tú, porque si digo que perdono, mi decisión es superficial porque me sigo maltratando por una ofensa recibida; por eso te pido que al momento de recibir tu perdón, sea también capaz de perdonar las ofensas, acepte que forman parte de mi historia; luego, dame la gracia de aceptar que las palabras ofensivas que recibo, soy yo quien las acepta como ofensas o como una oportunidad de crecimiento. Señor, Dios, dame la gracia de comprender que el camino del perdón tiene diálogo y comprensión con espíritu cristiano. Este es un principio que predicó tu Hijo Jesucristo y lo repitió el apóstol san Judas Tadeo en las ciudades que evangelizó. Hoy decido caminar hacia la santidad, escuchando a tu Hijo en su Palabra y aprovechándome de la intercesión y el cariño de mi apóstol Judas Tadeo. Amén.

Oración a san Judas Tadeo para vivir en continua conversión

Señor Jesús que nos dijiste que cualquier cosa que pidamos al Padre en tu nombre Él nos la concedería, hoy le pido la gracia de vivir en continua conversión para caminar con seguridad hacia su reino, te conozca y te ame para lograr que tu imagen se quede en mi interior y así pueda evitar al máximo los momentos difíciles y desesperados, con frecuencia frutos del pecado. Te pido me concedas la gracia de vivir en continua conversión que me dé la seguridad, felicidad en esta vida y en la eternidad, y la alegría de cantar, junto con san Judas Tadeo, las alabanzas eternas. Amén.

Oración a san Judas Tadeo para curar los traumas

Tu amor, Señor Dios Padre es lo único que le da sentido a mi vida. Amo y creo que estoy aquí presente delante de tu Hijo en la presencia eucarística, sé que me mira y escucha mis oraciones. Tú lo has dicho, escuchen a mi Hijo. Por eso ahora te presento la carga de la vida, es pesada, es pecado, mira mis heridas, tú lo sabes todo, tú conoces mi historia, mis sufrimientos, mis recuerdos, no los he podido superar, tú eres el Padre de la vida, socórreme que estoy caminando hacia la muerte, una muerte estando vivo y esto, Señor Dios y Padre, me lleva a desfallecer; por eso con todas mis fuerzas te digo, auxíliame, dame tu vida, dame felicidad, serenidad y tu perdón. Dame tu gracia y eso me basta para vencer mi desaliento, dame tu alegría para vencer esta decadencia que me acompaña y me lleva a cerrarle el corazón a cuantos se acercan a mí, dame tu amor para que tranquilice los latidos de mi corazón. Toma mis preocupaciones, hazlas tuyas, libérame, por tu pasión y resurrección de todo aquello que me aflige y me daña, o me aleja del amor. Acepta, Padre Dios estos momentos de tristeza, estoy en mi huerto de Getsemaní y como tu Hijo te digo, aparta de mí este cáliz, pero no se haga mi voluntad, sino la tuya. Te ofrezco también estos momentos de turbulencia por todas aquellas personas que en estos momentos están pasando también grandes dificultades. Sánalos, protégelos, dales tu luz para que todos encuentren el camino del amor, del bien y la santidad. San Judas Tadeo, presenta esta petición al Padre Celestial. Amén.

Oración a san Judas Tadeo para alejar las acechanzas del demonio

Creo en Dios Padre, todopoderoso, creador del cielo y de la tierra, creo que su Hijo Jesucristo es el único camino para llegar al reino de Dios, creo que fue encarnado por obra del Espíritu Santo y murió por mí en la cruz, creo que desde el momento de la resurrección de Cristo el mal, Satanás, o Belcebú fue destruido por él; por lo tanto Señor, en plenitud de mis facultades prometo servir únicamente al Dios vivo y verdadero, a obedecer todos los principios que están contenidos en el Evangelio, prometo que estaré siempre en contra del pecado para que nunca el mal se apodere de mi vida. Prometo nunca jamás someterme a los pecados que me han acompañado durante mucho tiempo en la vida, los venceré con la fuerza de la gracia divina y por intercesión del santo apóstol san Judas Tadeo, primo de Jesús, prometo desatarme de mi pecado que me agobia y estresa, acercándome al sacramento de la confesión y hoy con la fuerza que me da Cristo y la presencia en mí del Espíritu Santo le digo a Satanás que no creo en su poder porque soy hijo de Dios, y con todas mis fuerzas le digo a Satanás que no me puede poseer porque soy bautizado en la Iglesia católica, porque soy templo del Espíritu Santo. Esta declaración la hago en el nombre del Señor Jesús, y se la encomiendo al apóstol san Judas Tadeo para que mi decisión de alejarme del pecado se la presente al Padre Celestial. Amén.

Proclamación de la fe

Señor Jesucristo, creo en ti, y en todas las verdades que contiene el Credo de la Iglesia, creo que es Una, Santa, Católica y Apostólica; manifiesto que no estoy atado a ningún grupo contrario a mi religión, manifiesto que creo en el Papa y los obispos y en la Santísima Virgen de Guadalupe; manifiesto que no busco la voluntad de Dios y sus designios por caminos extraños como son la brujería, la lectura de las cartas o la escucha de los horóscopos; declaro que busco mi curación física o espiritual a través de la medicina, la oración, la fuerza de mi voluntad y el cariño que doy y recibo. Declaro también públicamente, ante creyentes e incrédulos, que creo en todo aquello que la Iglesia católica me propone en sus dogmas y en su Magisterio, manifiesto que creo en los santos y creo en su intercesión y sobre todo, que sigo e invoco a san Judas Tadeo y no por un acto de culto mágico, brujería o desde un cristianismo superficial. Expreso hoy, Señor, que te busco con el propósito firme de cumplir siempre con tu voluntad, vivir las enseñanzas del Evangelio que deseo cumplir e irradiar con mi testimonio y ser feliz para siempre.

Y para confirmar públicamente esta Verdad, hago mi profesión de fe diciendo:

Renuncio a Satanás.

Renuncio a todas sus obras.

Renuncio a todas sus seducciones.

Renuncio al pecado para vivir en la libertad de los hijos de Dios.

Renuncio a todas las seducciones del mal para que el pecado no me esclavice.

Renuncio a Satanás, padre y autor del pecado.

Creo en Dios, Padre todopoderoso, creador del cielo y de la tierra.

Creo en Jesucristo, su Hijo único, Señor nuestro, que nació de la Virgen María, padeció y murió por nosotros, resucitó y está sentado a la derecha del Padre.

Creo en el Espíritu Santo, en la santa Iglesia católica, en la comunión de los santos, en el perdón de los pecados, en la resurrección de los muertos y en la vida eterna. Amén.

Oración para decidirme a amar a mis hermanos

Señor Dios, cuántas veces he deseado ser la presencia de tu misericordia y sin embargo veo que mis respuestas son agresivas, mi paciencia altanera, mis palabras destructoras. Conviérteme Señor Dios. San Judas Tadeo, alcánzame la gracia de expresar palabras amables que construyan, comentarios que eleven la dignidad de todos, miradas que trasmitan serenidad. Que siempre y en todas partes me digan qué bueno es convivir contigo, eres agradable, quiero ser como tú, porque tú eres expresión de Dios. Por eso, Señor Dios, dame la gracia de domar mi lengua para evitar las críticas destructivas, colocar en mi corazón tu amor y en mi mente tu Palabra, que nunca me deje llevar por los comentarios destructivos que dañan mis relaciones, ni por las apariencias exteriores, porque sólo tú, Señor Dios, conoces el interior de las personas. Que sea yo tu presencia para que esté atento a las necesidades de mis hermanos y dispuesto a tenderles una mano amiga que sana. Que sea misericordioso y manso de corazón. San Judas Tadeo, intercede ante Dios Padre por mí. Amén.

Oración a san Judas Tadeo para saber pedir perdón

Dios, amable y sencillez plena, ¿por qué me es difícil perdonar siendo que tú siempre otorgas el perdón a quien se arrepiente de sus pecados, porque a "un corazón arrepentido Tú no lo rechazas? Te presento mi corazón, postrado ante tu presencia como hijo pródigo que busca tu perdón. Te alabo con todo mi corazón por el don de tu misericordia. Señor, vengo implorando me concedas el perdón de mis pecados y me des el don del perdón a mis enemigos. No permitas que mi corazón se destroce guardando rencores y resentimientos; atiende mi súplica para vivir como hijo tuyo, amando y perdonando porque tú me amas y me perdonas siempre; te pido este don por intercesión del apóstol san Judas Tadeo; dame el don de la continua conversión y la gracia de una buena confesión, "porque tu fidelidad y misericordia son eternas". Derrama sobre mí la abundancia de tu Espíritu de misericordia, bondad, perdón y ternura. Señor Dios Padre de misericordia, que mi corazón comprenda que no debe guardar ningún rencor sino excluirlo con tu gracia. San Judas Tadeo, ven en mi auxilio. Amén.

Oración de un joven a san Judas Tadeo

Dios todopoderoso y eterno, que me has creado para ser en este mundo la presencia dinámica y juvenil de tu Amor, concédeme, por intercesión de san Judas Tadeo, la fuerza de voluntad para saber alabarte y agradecerte por el don de la vida, mi familia, mi hogar que deseo cuidar y amar. Dame la fuerza para saber decir no a lo que me produce muerte y decir sí a lo que da y trasmite vida, alegría y verdadera felicidad. Señor, cúrame, lávame, desintoxícame de alguna contaminación social que se haya instalado en mi mente o en mi corazón. Dame la gracia de valorar la amistad que recibo de mis amigos y amigas, que nos reunamos para hacer el bien, para construir y expresar la juventud, para orar. Dame un corazón sensible a los ejemplos, las oraciones y sugerencias de mi familia; quiero Señor ser un cristiano que comparte un amor sereno y da un testimonio de vida y amor. Señor, sé mi fuerza en esta decisión; sé mi protección; quiero seguir sonriendo, ser feliz y alabarte junto con mis amigos y mi comunidad parroquial. San Judas Tadeo acompáñame en la juventud de mi vida para que sea una juventud cristiana. Amén.

Oración a san Judas Tadeo por los hijos

Te alabo, Señor, por el don de los hijos que me has concedido. Por intercesión de san Judas Tadeo, te pido que los bendigas, y los guardes de todos los peligros; protégelos de las envidias, celos, rencores, venganzas y del maligno que vaga por el mundo procurando la perversión de sus mentes y de sus corazones.

Señor Dios Padre, que mis hijos te sean agradecidos ante la vida por tus bendiciones; que sepan alejarse de quienes los desorientan o confunden, que refuercen tu amor y los principios cristianos, que se acerquen a tu hijo Jesucristo escuchando y viviendo su Evangelio, que sean fuertes y seguros ante quienes te excluyen, sean fieles a tu amistad y alegres en la alabanza familiar y comunitaria. Todas las mañanas, Señor Dios Padre, dales el don de la alabanza por el nuevo día, que pidan la bendición de María Santísima, la madre de tu Hijo, que caminen bajo su mirada durante el día y cuando regresen a su hogar, duerman bajo su protección y con tu bendición paternal expresada en la bendición que cada noche les envío. Confórtalos en los desalientos y tristezas de la vida, dales tu gracia y fuerza en las tentaciones, levántalos de las caídas y llévalos a tu Reino al final de su vida. San Judas Tadeo, acompaña a mis hijos y llévalos a tu primo Jesús. Amén.

Oración a san Judas Tadeo
para obtener el don del perdón a mis padres

San Judas Tadeo, parece imposible que esté orando por mis padres. Los amo, es verdad, pero estoy resentido con ellos. Mi historia siente rechazo, exclusión y abandono. Alcánzame de Dios Padre el don del perdón, el don de cerrar para siempre esas heridas que he conservado por tantos años. Dame la gracia de decirles que ya no guardo este resentimiento contra ellos y así, en tu nombre Señor Dios y por intercesión de san Judas Tadeo, libérame para siempre de este mal sentimiento hacia mis padres y pueda amarlos con sinceridad y libertad. A ti, Señor Dios de la vida y de la historia, que eres Padre y Madre, elevo mi canto de alabanza y te pido el don del perdón a mis padres contando con la ayuda de san Judas Tadeo. Amén.

A San Judas Tadeo para cerrar una herida de la vida

Señor Dios, al escuchar cada mañana los latidos de mi corazón, yo te bendigo por este don; cuando pienso en el milagro de la respiración elevo mis manos para cantar Gloria a Ti Señor y cuando elevo mi oración matutina, todo mi ser se une en acción de gracias como lo hace la creación, y cuando siento el rencor de mi corazón, sólo te pido, Señor, que me concedas la gracia de saber cerrar esta herida que me acompaña. Dame la gracia de saber cerrarla convirtiendo mis rencores y resentimientos en actitudes de amor hacia quien me causó mal. Dame el gozo, la paz y la libertad. Coloca en mi mente y en mi corazón tus palabras que dicen: "si no perdonas de corazón, tampoco mi Padre te perdonará". San Judas Tadeo, ayúdame a cerrar las heridas de mi vida. Amén.

Oración a san Judas Tadeo ante el dolor

Bendito y alabado seas, Señor, por el dolor y la enfermedad porque son un mensaje de tu amor y gracia que me pide más cuidado a mi persona. Acepto el dolor como fuente y camino de méritos, purificación y crecimiento en tu gracia. Concédeme la docilidad y fortaleza en este momento de dolor y sufrimiento; envíame, si es tu voluntad, la salud de mi cuerpo y mi espíritu. Dame la gracia para reforzar mi confianza en tu amor. No permitas que la desesperación me haga perder la oportunidad de ofrecerlo todo en reparación de mis pecados y la santificación de los bautizados y, sobre todo, saber colocarme en la cruz del calvario.

Envíame la paciencia ante el sufrimiento y la serenidad para ofrecértelo como fuente de méritos.

Concédeme por intercesión de san Judas Tadeo la paz, la salud y, sobre todo, la serenidad para llevar adelante estos momentos de dolor como fuente de santificación y purificación. Señor, hágase en mí según tu Palabra. Amén.

Oración a san Judas Tadeo para pedir la purificación interior

Señor, Jesús, creo que estoy en tu presencia, que me miras y escuchas como escuchaste al ciego, al centurión o a Pedro cuando te pidió la salud de su suegra. Siento tu presencia de Resucitado. Estás aquí inflamando mi vida, como inflamaste la vida de Judas Tadeo en Pentecostés. Te amo, te alabo, adoro y elevo mi oración de alabanza para pedirte por intercesión de tu primo Tadeo tu fuerza, tu presencia, tu serenidad, tu paz, y tu gracia. Toma posesión de mí, regálame tu amor que eso sólo me basta.

Señor Jesús, te pido que me libres de toda atadura; quita de mi mente y corazón toda aquella basura que me impida amar y perdonar. Lávame de toda inmundicia. Llena mi mente y mi corazón de Ti, invádeme con tu Espíritu y dame todos los dones necesarios para vivir mi vida cristiana y familiar.

Señor, transforma mi desierto en vergel, mi tristeza en alegría, mi soledad en compañía, mi pecado en gracia y mi crecimiento en santidad y felicidad. Te lo pido por intercesión de san Judas Tadeo. Amén.

Oración a san Judas Tadeo para pedir la protección del hogar

Señor Jesucristo, que al venir a esta tierra quisiste tener tu familia en Nazaret, concede el don de la familia y del hogar a quien aún no lo tiene y a quien lo tiene, valorarlo, cuidarlo, protegerlo y santificarlo. Alabado seas mi Señor porque en mi hogar reina la paz, la armonía, la fidelidad, el cariño y el perdón. Por intercesión de san Judas Tadeo, protege nuestro hogar de toda clase de envidias, resentimientos, rencores, difamaciones, o indiferencia. Que tu amor misericordioso y tu gracia sean los lazos de unidad familiar. San Judas Tadeo, intercede para que todo en el hogar vaya bien. Amén.

Renovación de las promesas del Bautismo

Por medio del Bautismo, participo del misterio pascual de Cristo; es decir, por medio del Bautismo, he sido sepultado con Él en su muerte para resucitar con Él a una vida nueva. Ahora ante el Santísimo Sacramento del altar consciente de mi compromiso bautismal, renuevo mis promesas bautismales:

Renuncio a Satanás.
Renuncio a todas sus obras.
Renuncio a todas sus seducciones.
Renuncio al pecado para vivir como hijo de Dios.
Renuncio a todas las seducciones del mal para que el pecado no me esclavice.
Renuncio a Satanás, padre y autor del pecado.
También quiero declarar ante Jesús Sacramento que:

Creo en Dios Padre todopoderoso, creador del cielo y de la tierra.

Creo en Jesucristo, su Hijo único y Señor nuestro, que nació de la Virgen María, padeció y murió por mí, resucitó y está sentado a la derecha del Padre.

Creo en el Espíritu Santo, en la santa Iglesia católica, en la comunión de los santos, en el perdón de los pecados, en la resurrección de los muertos y en la vida eterna.

Esta es mi fe, esta es la fe de mi Iglesia en la que creo, amo y construyo comunidad y en la que alcanzaré la gloria del reino. Amén.

Oración a san Judas Tadeo en los momentos difíciles

Jesucristo Resucitado, concédeme la fuerza y la fortaleza para superar este momento difícil. Dame tu sabiduría divina para saber discernir el camino que debo seguir, la gracia de saber aprovechar estos momentos de dificultad y oscuridad para encontrarme conmigo mismo y hacerme cargo de mis tareas con responsabilidad. No permitas que el pecado ofusque mi mente ante la verdad, dame docilidad a tu Espíritu para ver con claridad los caminos de superación, alivio y resolución de este problema. Padre mío, que pase de mí este cáliz, pero no se haga mi voluntad, sino la tuya. Porque "todo lo puedo en Aquél que me conforta". Dame tu Espíritu para superar este momento difícil y desesperado por intercesión de san Judas Tadeo. Amén.

Oración a san Judas Tadeo para perdonarme a mí mismo

Entra en mi corazón, Señor, y mira esa herida que sangra a pesar de los años; es fruto de un pecado que reconozco. Creo y acepto tu redención con sus infinitos frutos, en especial el haber pagado mi deuda ante tu Padre Celestial. Hiciste tuya mi culpa. Ahora está perdonada, saldada y convertida en misericordia y ternura.

En tu nombre y bajo la presencia de san Judas Tadeo me digo para siempre: "'me perdono porque Tú ya me perdonaste'. Dame la gracia de acercarme al sacerdote y escuchar tus palabras: '¿Quién te condena?' 'Nadie, Señor' 'Tampoco yo te condeno, vete en paz y no vuelvas a pecar'".

Gracias por liberarme de la esclavitud del pecado. Alabado y bendito seas por el don del perdón. Soy libre, soy tu hijo redimido, soy amor, soy libertad. Ahora solicito la presencia de san Judas Tadeo para ser fiel a Jesucristo hasta dar la vida si fuera necesario, como fue fiel en el Oriente este apóstol. Amén.

Oración a María para pedir la propia conversión

Gracias, Jesús misericordioso, por haberme dado a Santa María de Guadalupe como Madre; gracias a ti, Madre del verdadero Dios, por haber entregado a la humanidad al Maestro Divino, Jesús Camino, Verdad y Vida, y haberme aceptado en el Calvario, como hijo tuyo. Tu misión está unida a la de Jesús, que "vino a buscar lo que estaba perdido". Por esto yo, agobiado por mis pecados, ofensas y negligencias, me refugio en ti, Madre, que eres mi esperanza suprema. Vuelve a mí tus ojos misericordiosos; sean para este hijo enfermo tus más maternales cuidados.

Todo lo espero por tu intercesión: perdón, conversión, santidad. Forma entre tus hijos una nueva clase, será la clase que más te moverá a compasión; recíbeme a mí entre ellos. Realiza el gran milagro de transformar un pecador en un apóstol. Será un prodigio inaudito y una nueva gloria para tu hijo Jesús, y para ti, que eres Madre suya y mía. Todo lo espero de tu corazón, Madre, Maestra y Reina. Amén. (Compuesta por el Beato Santiago Alberione, fundador de la Familia Paulina).

Oración a la Virgen María por mi salud

¡Espíritu Santo, creador y renovador de todas las cosas! Te adoro, te doy gracias y te amo en unión con María Santísima. Tú que das la vida y vivificas el universo, consérvame en buena salud; líbrame de las enfermedades que amenazan la vida. Te ruego que ilumines con el don de ciencia y de inteligencia a los médicos y a los investigadores para que conozcan las verdaderas causas de las enfermedades que amenazan la vida, y puedan descubrir los remedios más eficaces para defenderla y sanarla. ¡Virgen Santísima de Guadalupe, Madre de la vida y salud de los enfermos!, a ti confío mi humilde oración, dígnate presentarla al Padre Celestial pues tú inspiras confianza a los mexicanos con tus palabras en el Tepeyac, "¿no estoy yo aquí que soy tu madre?" Amén.

Oración a san Judas Tadeo para superar los resentimientos

Señor, me presento ante Ti con un corazón lleno de resentimientos y rencores por las ofensas recibidas, tal vez no lo son pero mi corazón así lo percibe. En el fondo de mi ser encuentro el rechazo, el rencor y hasta el odio hacia aquella persona que percibo me daña y aflige con sus palabras, prejuicios y calumnias. Mis resentimientos negativos confirman que soy de barro, hecho de carne y hueso; retira y borra de mi corazón el deseo de venganza e indiferencia, y a mis recuerdos dolorosos dame la gracia de convertirlos en un camino de purificación, encuentro y una magnífica oportunidad de crecimiento humano y espiritual. Retira de mí la tristeza o resentimiento, concédeme la gracia del perdón y ayúdame a deshacerme de estos pensamientos que sólo me dañan y detienen mi camino hacia tu Reino. Señor Jesús, san Judas Tadeo, preséntenme a Dios Padre, no tengo otra recomendación sino la de ustedes. Alcánzame para éste, tu seguidor, Señor Jesucristo y admirador de ti, san Judas Tadeo, la gracia de saber superar estos resentimientos que me destruyen. Amén.

Oración a san Judas Tadeo para liberarme de las angustias del pasado

Señor Jesús, así como la humanidad recibe como herencia la historia de pecado que acumula, así en mi familia recibimos como herencia la forma de ser de nuestros progenitores, sencillos, alegres, fraternales, el amor a la santa Misa y a tu presencia eucarística; pero también Señor, recibimos la historia de pecado. Por eso Señor Dios concédeme, por intercesión de san Judas Tadeo, la gracia de rechazar el pecado en mi vida para que la herencia o la influencia que herede a mi familia sea tu amor, tu gracia y misericordia. Señor Dios, si percibes que en mí hay una herencia negativa, que me oprime, por intercesión de san Judas Tadeo te pido la destierres de mi corazón, quiero ser libre para amar y servir con libertad, sin herencias negativas que llegaron a mi corazón a través de comentarios, actitudes deshonestas, que se van quedando en el corazón por creerle más a los comentarios negativos que a tu Palabra. Señor Jesús, te pido, por intercesión de tu primo san Judas Tadeo que cumplas tu misión en mi persona, denme la libertad y tu verdad para ser libre y amar como tú me amas, bendecir como tú me bendices, sanar como tú me sanas. Jesús sacramentado, san Judas Tadeo, espero de ustedes este favor. Amén.

Oración a san Judas Tadeo para pedir la serenidad

Señor Jesús, cuando veas que la ansiedad, el descontento, la terquedad, intransigencia, o indiferencia estén en mis relaciones familiares o laborales, dame el don de la serenidad y la armonía interior para responder con amabilidad. Cuando veas que por mis problemas me convierto en una persona déspota o en un capataz para mis hermanos, o la intolerancia sea la que me identifique, por intercesión de san Judas Tadeo, patrón de los casos imposibles y difíciles, concédeme 15 minutos para encontrarme conmigo y situarme en la vida; cuando veas que los gritos son el pan nuestro de cada día, Señor Jesús, por intercesión de san Judas Tadeo dame la sabiduría necesaria para saber orar, programar y desandar los caminos que me llevaron a la confusión, estrés y desesperación, pues mi vocación es el amor, el servicio, la armonía, la confianza, la paz y la vida eterna contigo. Amén.

Oración a san Judas Tadeo por mi propia persona

Señor Dios, si fui hecho a tu imagen y semejanza, renueva en mi corazón la alegría de ser tu hijo, tu perla, tu tesoro por quien enviaste a tu Hijo Jesucristo para salvarme. Glorificado seas, Señor, por el don de la redención, por el sacramento de la reconciliación y el don de tu Palabra que me enseña la Verdad, el Camino del bien que da Vida y santidad. Dame el valor de anunciarle a la sociedad que todos somos tus hijos, que nos amas y nos esperas en el paraíso. Dame el don de sentirme amado por lo que soy y como soy y el don de la continua conversión. Concédeme el don de vivir en oblación y servicio amándote en mi familia y en todos mis hermanos, especialmente en los que más me necesiten. Concédeme esta gracia por intercesión de san Judas Tadeo. Amén.

Oración a san Judas Tadeo para pedir la paz interior

Señor Dios, dame la fuerza de trabajar para que mi vida sea la expresión de tu divinidad pues sé que fui hecho a tu imagen y semejanza, bendito y alabado seas. Pero, Señor, por mi libertad, la miseria, la fragilidad, la debilidad me llevan al pecado y eso me agobia y confunde transformando mi interior en un mundo de borrascas, desaliento, impaciencia, ansiedad, soledad, estrés e indecisión. Te pido perdón, Padre misericordioso, porque reconozco que busqué tu felicidad donde menos se encontraba, perdiendo tu paz y armonía. Olvidé tus palabras que me dicen: "Mi paz les dejo mi paz les doy no como la da el mundo". Es verdad Señor, en el mundo se pierde y se maltrata tu paz. Señor Dios, por intercesión de san Judas Tadeo, dame la gracia y la fuerza para caminar siempre hacia Ti, para recibir tu paz que da serenidad, alegría y felicidad. Amén.

Oración por los trabajadores

San José, te veneramos como modelo de los trabajadores, amigo de los pobres, consolador de los afligidos y emigrantes, y como al santo de la Providencia, porque fuiste durante tu vida terrena el representante de la bondad y solicitud del Padre Celestial. Fuiste carpintero en Nazaret y maestro de trabajo del Hijo de Dios, que se hizo humilde obrero por nuestro amor. Socorre con tus oraciones a todos los que se consumen en el trabajo intelectual, moral y material. Obténles a las naciones una legislación que se inspire en el Evangelio, espíritu de caridad cristiana y una organización social según la justicia y la paz. Amén (Beato Santiago Alberione).

Oración a san Judas Tadeo para dejar las bebidas alcohólicas

Yo... (di tu nombre), pido a Dios Padre, a su Hijo Jesucristo y al Espíritu Santo, por intercesión de san Judas Tadeo, entren en mi interior y destruyan el espíritu del alcoholismo, de drogadicción, de sexualidad desordenada y todo aquel deseo que me lleve a ingerir sustancias nocivas para mi salud física y espiritual.

Pido con todas mis fuerzas a la Santísima Virgen de Guadalupe, a san Judas Tadeo que intercedan ante Dios Padre para que una vez destruido ese espíritu dañino, mi Creador reinstale en mi corazón el espíritu cristiano que da vida, progreso y amor. Amén.

Oración a san Judas Tadeo para superar los celos

Señor Dios Padre, por intercesión de san Judas Tadeo abre mi mente y mi corazón para descubrir que un amor posesivo y celoso daña tu imagen, enferma y termina por destruir a mi familia. Tú que dijiste, "dejarán a su padre y su madre y serán una sola carne", concédeme que este mandamiento sea una realidad en nuestro hogar, dame la gracia de saber escuchar y compartir con mi pareja todo aquello que tengo en mi corazón, colocándome al servicio y felicidad de mi hogar, dando lo mejor de mí mismo y en total exclusividad matrimonial. Concédeme el don de la confianza, la entrega, el diálogo sincero y el amor verdadero porque son los instrumentos que construyen nuestro hogar. Arroja lejos de mí la enfermedad de la sospecha, los celos enfermizos, la crítica, las suposiciones o el ver engaño donde no lo existe. No permitas que estos pecados se apoderen de mí, dañándome y dañando a mi pareja y a mis hijos. Te pido, Señor, un amor total, una confianza infinita y una seguridad y aceptación a las palabras de mi pareja y a los dos, un diálogo sincero.

Aumenta en mí el don del diálogo, la capacidad de escucha y comunicación, el perdón, el crecimiento e interés mutuo. San Judas Tadeo, evangeliza mi corazón para que sólo exprese el amor cristiano. Amén.

Oración a san Judas Tadeo en los momentos de depresión

Señor Dios Padre y Madre, la desconfianza en tu Providencia y en tu amor, los fracasos y traiciones de la vida, los momentos difíciles y desesperados me llevaron a esta situación de depresión, angustia, ansiedad, soledad y estrés. San Judas Tadeo, ven en mi ayuda, mira, dejé entrar a mi corazón el fracaso, la culpa, el resentimiento y la indiferencia. Acepto que el camino recorrido hasta ahora no es el correcto, quise encontrar las soluciones lejos de ti, mi Dios. Hoy, Señor Dios, me decido a dejar correr por mi corazón sólo tu amor y tu gracia.

Señor Dios Padre y Madre, concédeme el don del reencuentro para amar sin condiciones, perdonar cuando hubiere ofensa, libertarme de mi pasado y reconciliarme con mi vida, mi familia, y mi corazón. Reconciliarme contigo, mi Dios y Creador, con mi proyecto, con la vida, y tú san Judas Tadeo no me abandones. Me amo así como soy y amo a mi familia también. Confío en Dios Padre, en su perdón, en su amor, y en la Virgen de Guadalupe que me dice, "¿no estoy yo aquí que soy tu Madre?"

San Judas Tadeo mira mi depresión, asumo mis límites, mis pecados; ayúdame a cerrar mis heridas y a cristianizar mi voluntad. Me comprometo a desbloquear del corazón todo aquello que me hace dudar y encerrarme, rechazando tu amor, tu perdón y la vida.

Señor Dios, concédeme el don de la fe en las palabras de tu Hijo, "yo estoy con ustedes hasta el final de los siglos". Dame la fuerza de reforzar la esperanza en tu promesa de la vida eterna pues quien te ama participará de tu felicidad. Amén.

Oración a san Judas Tadeo por un enfermo

Dios nuestro, que quisiste que tu Hijo unigénito soportara nuestros sufrimientos, para enseñarnos el valor de la enfermedad y la paciencia; escucha mis súplicas por (N. N.), que está postrado por la enfermedad, concédele, por intercesión de san Judas Tadeo que por el dolor, las penas y la enfermedad, se sienta elegido entre aquellos que el Señor llama bienaventurados, y de saberse unido a la pasión de Cristo para salvación del mundo. Envíale la salud del cuerpo y espíritu para que pronto regrese a sus habituales ocupaciones. San Judas Tadeo, acompáñalo siempre, pero en especial en estos momentos de dolor. Tu cercanía será una bendición especial. Amén.

Oración a san Judas Tadeo para superar la soledad

Señor Dios que eres Padre, Hijo y Espíritu Santo, concédeme por intercesión de san Judas Tadeo que mi soledad sea siempre un momento de reencuentro con mi realidad, fragilidad y grandeza; sea una oportunidad para valorar la cercanía de mis hermanos y comprender que la soledad con frecuencia es fruto del egoísmo. San Judas Tadeo que saliste de Jerusalén a predicar el Evangelio de tu primo Jesús, no permitas que en mi corazón se encierre la desesperación, sino que vaya al encuentro de la presencia de Jesucristo en el servicio a un niño, busque al anciano que espera una mano amiga, al enfermo que busca una sonrisa o una ayuda, al joven que se abre a la vida y espera una sugerencia desinteresada y sea el camino para encontrar la compañía de Jesús, amigo que nunca falla. San Judas Tadeo no te alejes de mí en estos momentos de soledad. Invítame a tu santuario para sentir la cercanía de una comunidad que ora también pidiéndote cantidad de gracias. Amén.

Oración a san Judas Tadeo para pedir el pan diario

Señor, Dios Padre, que con tu providencia todo lo creas con amor y ternura y todo lo conservas, concédeme, por intercesión de san Judas Tadeo, que nunca falte en mi hogar, casa, vestido y sustento. Dame un trabajo digno, justo y estable para caminar con alegría durante la vida; cuida con tu mano providente a todos los que trabajan más allá de nuestras fronteras apoyando a nuestras familias, bendícelos y protégelos de todos los peligros.

Madre tierra, sigue siendo pródiga y generosa con nosotros y no permitas que por tu degradación, fruto de la inconsciencia del hombre, falte algún día el pan en nuestros hogares. San Judas Tadeo, Divina Providencia, que nunca me falte casa, vestido y sustento. Amén.

Oración a san Judas Tadeo en los momentos difíciles

Señor Dios Padre, en estos momentos difíciles, quédate junto a mí; no estoy solo, Tú estás a mi lado para sostenerme, levantarme y, si fuera necesario, curarme y perdonarme. Por intercesión de san Judas Tadeo dame la sabiduría para comprender que estos momentos vienen llenos de gracia y bendiciones. No permitas que por la desesperación o duda me aleje de tu presencia; abre mi espíritu para que comprenda que "aunque una madre se olvide de su hijo, Tú nunca me abandonarás", que comprenda que los límites y las fragilidades forman parte de la existencia. Confío en Ti, y en san Judas Tadeo y creo que es tu gracia y tu amor infinito quienes me sostienen y me darán la felicidad después de esta borrasca y desesperación. Amén.

Oración a san Judas Tadeo por la familia

Señor Dios Padre, el camino de la felicidad me lo trasmitió mi familia. En ella nací, crecí, aprendí mis primeras letras y mis primeras oraciones, ahí me inicié en la cultura de tu amor, del respeto y la libertad. Te presento a cada uno de mis familiares, con sus riquezas y límites, con sus tristezas y alegrías. Dame la oportunidad de valorar sus diferencias y la riqueza de la época de cada uno de ellos. Para con mis padres, dame el don del agradecimiento por la vida. Concédeme la fuerza de voluntad para decir siempre sí a la vida, al amor, a la unidad, a la comprensión y a la alegría de ser familia. No permitas que las ideas de quienes rechazan el don de la fe católica entren en nuestro hogar promoviendo división, tristeza, pecado o infidelidad. Concédeme, Dios Padre bueno por intercesión de san Judas Tadeo, la gracia de decirle todos los días a mi familia que los amo, que estoy orgulloso de pertenecer a este hogar en donde reina Dios, la paz, la armonía, la fidelidad, el perdón y la sencillez, expresadas hasta en unos simples "buenos días". San Judas Tadeo, tú sabes el cariño que te tenemos en la familia, acompáñanos en nuestro caminar. Amén.

Oración a san Judas Tadeo de quien abortó

Señor, el mal uso del don de mi libertad me llevó a realizar el aborto de mi hijo, inocente, tierno, indefenso. Tú sabes la forma cómo lo concebí y la forma en cómo acudí a realizar este pecado; tal vez fue mi inexperiencia o el temor de recibir un reproche o el miedo de enfrentarme al don de dar la vida. Mi dignidad de mujer y madre me reclama con fuerza. La sonrisa y la tristeza de mi hijo no nacido me reprochan el porqué de mi egoísmo para no dejarle ver la luz. Entra, Señor, en mi interior y mira mi arrepentimiento, enséñame el camino para encontrar tu misericordia y tu perdón que ya me has otorgado, para que mi espíritu encuentre el gozo y la paz. Mitiga mi dolor y dame la tranquilidad de saber que mi hijo está en tu Reino. San Judas Tadeo, en este momento difícil y desesperado de mi vida, está cercas de mí y compárteme la paz que Jesucristo te dio después de su resurrección antes de tu envío al Oriente. "Mi paz te dejo mi paz te doy". Amén.

Oración a san Judas Tadeo para conquistar el Cielo

Señor Dios Padre, mi fe me dice que al final de mis días, "la vida no se acaba, se transforma y disuelta mi morada terrenal se me prepara una morada eterna en el cielo". Esta es mi fe, esta es la fe de la Iglesia católica a la que pertenezco y amo, y me dice que en la eternidad Tú, oh Dios Padre, me amarás, mirarás, contemplarás y gozarás eternamente; pero Señor, para que pueda recibir este don, necesito realizar durante mi vida terrenal el proyecto de tu amor, por eso san Judas Tadeo, hazte presente en mi vida, predícale a mi corazón con la pasión como predicaste en Oriente el Evangelio de tu primo, realiza en mí una obra de arte transformándome día a día en la imagen de Jesús, logra colocarme entre tus triunfos por haber llevado a un católico más a la eternidad divina. San Judas Tadeo, ruega por mí. Amén.

Oración de confianza en Jesús e intercesión a san Judas Tadeo

Cristo Jesús, Hijo único de Dios, confieso y reconozco que estás presente en el Santísimo Sacramento del altar. Yo te alabo. Señor, sé que me miras y escuchas mis oraciones, creo que me pides que me levante y ande, que dé un salto y vaya a tu encuentro, porque tú Señor, tienes para mí amor, cariño, paciencia y perdón. Señor, necesito que vendes y cures mi corazón roto, herido, cansado, vencido y agotado; estoy atado por una depresión que con frecuencia me inmoviliza. Confío en Jesucristo, a quien amo con todo mi corazón. Confío en ti, san Judas Tadeo, abogado de los casos imposibles. Sé que continuarás haciendo tu trabajo de intercesión y yo no seré la excepción. Señor Jesús, recrea mi cuerpo, regrésame la serenidad y la armonía interior, confío en ti. ¡Cúrame, Señor!, ¡purifícame!, ¡sáname!, ¡lávame!, ¡transfórmame!, ¡reencuéntrame! Y ahora, Señor Jesús, presta atención a las intercesiones del apóstol san Judas Tadeo a mi favor... *(presenta tu petición)*. Señor, yo creo, yo espero, yo adoro, yo confío, te amo. Amén.

Oración a Santo Toribio Romo por el hijo que está en los Estados Unidos de Norteamérica

Señor Jesús, Tú que fuiste emigrante en Egipto, escucha mi oración que hoy te elevo por (N.N.), él (o ella) necesita de tu amor, benevolencia, cuidado y protección en todos sus pasos que dé en Estados Unidos de Norteamérica. Acompáñalo(a), cuídalo(a) de todos los peligros y de toda persona que intente hacerle daño, engañarlo(a) o desviarlo(a) de sus raíces familiares y guadalupanas. Llénalo(a) de tu gracia y de tu paz; fortalece su fe; condúcelo(a) por el camino del bien y la fidelidad a la familia; dale el gozo de un trabajo digno y la gracia de un feliz retorno. Santo Toribio Romo, patrono de los emigrantes, ruega por él (ella). San Judas Tadeo, protégelo(a) de todo peligro. Amén.

(Santo Toribio Romo, nació en santa Ana de Guadalupe, cerca de Jalostotitlán, Jalisco. Párroco de Tequila Jal. Cristero martirizado el 25 febrero de 1928. Es protector de los mexicanos que trabajan en Estados Unidos).

Para la liberación personal, física y espiritual

(Diga esta oración encomendándose a san Judas Tadeo)

Señor Jesús, Tú que has venido a curar los corazones heridos y atribulados, te ruego que cures los traumas que provocan turbaciones en mi corazón; te ruego en especial, que cures aquellos que son causa de pecado.

Te pido que entres en mi vida, que me cures de los traumas psíquicos y heridas que me han provocado a lo largo de toda mi vida.

Señor Jesús, Tú conoces mis problemas, los pongo todos en tu corazón de Buen Pastor, te ruego, en virtud de aquella gran llaga abierta en tu corazón, que cures las pequeñas heridas que hay en el mío, cura las heridas de mis recuerdos, a fin de que nada de cuanto me ha acaecido me haga permanecer en el dolor, en la angustia, en la preocupación.

Cura, Señor, todas esas heridas íntimas que son causa de enfermedad física. Yo te ofrezco mi corazón, acéptalo, Señor, purifícalo y dame los sentimientos de tu corazón divino. Ayúdame a ser humilde y benigno.

Concédeme, Señor, la curación del dolor que me oprime por la muerte de las personas queridas. Haz que pueda recuperar la paz y la alegría por la certeza de que Tú eres la Resurrección y la Vida. Hazme testigo auténtico de tu Resurrección, de tu victoria sobre el pecado y la muerte, de tu persona viviente entre nosotros. Amén.

Oh, Señor, Tú eres grande, Tú eres Dios, Tú eres Padre, te ruego por la intercesión y con la ayuda de los Arcángeles Miguel, Rafael y Gabriel, ser liberado del maligno que me ha esclavizado.

¡Oh Santos, vengan todos en mi ayuda!

De la angustia, de la tristeza y las obsesiones, líbrame, Señor.

Del odio, la fornicación y la envidia, líbrame, Señor.

De los pensamientos de celos, de rabia y de muerte, líbrame, Señor.

De todo pensamiento de suicidio y de aborto, líbrame, Señor.

De toda forma de desorden en la sexualidad, líbrame, Señor.

De la división de la familia, de toda amistad mala, líbrame, Señor.

De toda forma de maleficio, de hechizo, de brujería y de cualquier mal oculto, líbrame, Señor.

Oh, Señor, que dijiste, "la paz les dejo, mi paz les doy", por intercesión de la Virgen María, concédenos ser liberados de toda maldición y gozar siempre de tu paz. Por Cristo Nuestro Señor. Amén.

Espíritu del Señor, Espíritu de Dios, Padre, Hijo y Espíritu Santo, Santísima Trinidad, Virgen Inmaculada, Ángeles y Arcángeles y Santos del paraíso, desciendan sobre mí.

Fúndeme, Señor, modélame, lléname de Ti, utilízame.

Expulsa de mí todas las fuerzas del mal, aniquílalas, destrúyelas, para que yo pueda estar bien y hacer el bien.

Expulsa de mí los maleficios, las brujerías, la magia negra, las misas negras, los hechizos, las ataduras, las maldiciones y el mal de ojo; la enfermedad física y psíquica, moral, espiritual y diabólica.

Quema todos estos males en el infierno, para que nunca más me toquen a mí ni a ninguna otra criatura en el mundo.

Ordeno y mando con la fuerza de Dios Omnipotente, en nombre de Jesucristo Salvador y Señor, por intercesión de la Virgen Inmaculada, a todos los espíritus inmundos, a todas las presencias que me molestan, que me abandonen inmediatamente, que me abandonen definitivamente y que se vayan al infierno eterno encadenados por san Miguel Arcángel, por san Gabriel, por san Rafael, por mi Ángel custodio, aplastados bajo el talón de la Virgen Santísima Inmaculada. Amén.

(Compuesta por el padre Gabriel Amorth, sacerdote paulino).

ÍNDICE

SEGUNDA PARTE

QUINCENARIO EN HONOR
A SAN JUDAS TADEO

TERCERA PARTE

ORACIONES A DIOS PADRE
POR INTERCESIÓN DE SAN JUDAS TADEO